Réalisations

Livre de l'étudiant

Ted Neather

Ian Maun

Isabelle Rodrigues

Design: Newton Harris Design Partnership
Illustrations: Clinton Banbury, Linda Jeffrey, Angela Lumley
Editor: Alex Bridgland

The authors and publishers would like to acknowledge the following for permission to use photographs and published texts:
CIEM ('Les enfants et la ville' from *Les enfants consommateurs,* J Boniface, A Gaussel, p10); Ministère des Affaires Etrangères ('La ville de l'avenir' from *Label France,* p11); © Éditons Jean-Claude Lattès, 1982 ('La résidence secondaire' from *Pour amuser les coccinelles,* Maurice Denuzière, p14); Éditions Romillat, 1995 ('La renaissance rurale' from *La France qui bouge,* JM & PH Benoit, p16); *Le Nouvel Observateur,* Thierry Grillet (Réparons nos banlieues, p19); Marc Garanger/Corbis (Photo: Working class suburb of Paris, p19); Owen Franken/Corbis (Photo: Teacher helping student with lesson, p59); Corbis-Bettmann ('The Alphabet', Pierre-Auguste Renoir, p60); Hulton Getty Images (Photos: Homeless person wrapped in dustbin liners, p25; Homeless people with dogs, p26; Young woman, p36; French riot police, p41; Greenpeace, p99); *La Vie* (L'exclusion qu'est-ce c'est ?, p26; En finir avec la casse humaine, p27; Les exclus: quelles différences entre 1974 et aujourd'hui ? Interview avec René Lenoir, p30; Faire souffler l'air des vacances dans les quartiers, p32); ENA (Photo: René Lenoir, p28); UCLES, 9112/2 June 1991 (Les jeunes immigrés en France, p36); © *Phosphore,* BAYARD PRESSE 1995 (La violence en chiffres, p42); *Cahiers Pédagogiques* (Illustration: La violence à l'école, p44); © *Le Figaro* (Marseille: Les dessous d'une bavure, p47): *L'Évènement du Jeudi* (La grande lassitude des flics de banlieue, p51; Courage respirons!, p97); *Paris Match,* F MUSSO (Banlieues: la loi de la rue, p54); *Le Monde de l'Éducation* (Le secondaire doit préparer à un métier, p52; Tony récidiviste, p66; L'internat m'a donné l'occasion de m'ouvrir aux autres, p70); *La Revue des Parents* (Lire c'est Comprendre, p60); Éditions DENOËL, 1964 (Cartoon: 'Sauve qui peut', Jean-Jacques Sempé, p68); Éditions Complexe, 1995 ('Quelle école pour le XXIème siècle ?' from *L'École et la société française,* B Compagnon & A T Hévenin, p72); © *Le Figaro Magazine,* P Lanoy (Courrier du Fig-Mag, p76; La première Française de l'espace, p78); CNES, C Bardou (Photo: Claudie André Deshays, p78); HONDA (Photo: futuristic car, p82); © Milan Presse, *Les Clés de l'Actualité* (Le bureau à la maison, p84); Nathaly Nicolas (Les vingt printemps du Conservatoire from *Ça M'intéresse,* p94); Greenpeace (Greenpeace: en vert et contre tout, from *Résponse à tout,* p99); Presses Universitaires de France ('Les Français et l'environnement' from *La défense de l'environnement en France,* série *Que sais-je ?,* J-L Mathieu, p104); TDC Rédaction N° 561, 17 octobre 1992 ('Tiers Monde et environnement' from *Textes et documents pour la classe,* p107); David Simson (Photo: Rubbish tip, p107).

In some cases it has not been possible to trace copyright holders of material reproduced in *Réalisations*. The publishers will be pleased to make the appropriate arrangements with any copyright holders whom it has not been possible to contact at the earliest opportunity.

First published by Mary Glasgow Publications 1998

ISBN 0 7487 3702 2

02 03 04 05 06 / 10 9 8 7 6 5 4 3

Mary Glasgow Publications
An imprint of Stanley Thornes (Publishers) Ltd
Reprinted 2002 by: Nelson Thornes Ltd, Delta Place, 27 Bath Road,
CHELTENHAM, GL53 7TH, United Kingdom

A catalogue record for this book is available from the British Library.

Printed and bound in Great Britain by Scotprint, Haddington

Contenu

Introduction

Welcome to ***Réalisations***. This follows on from ***Prévisions***, forming a two-part course leading to A Level. The course has been written by a team of experienced A Level examiners and teachers.

Réalisations is divided into six units. Each unit is structured to give you an overview of a topic and to enable you to progress to more complex vocabulary and structures. Each focuses on a number of grammatical points and on ways of communicating. The contents pages at the beginning of the book will show you what to expect from each unit. The activities suggested in the book include independent work, working in pairs and working in a group.

The units each contain the following elements.

Lectures: There are five reading texts in each unit, all of them taken from an authentic source. The texts have exercises which will help you to exploit and learn the language that you have just encountered. The fifth text is always harder than the others and will stretch you in terms of comprehension, grammar and vocabulary.

Points-grammaire: These sections draw attention to an important grammatical structure which occurs within the text. Examples are given, together with a translation. For a more detailed explanation of the structure, turn to the Grammar section at the end of the book.

Pratiques de la grammaire: Here you will find exercises which will reinforce your understanding of the grammar and enable you to add the new points to your store of knowledge.

Écoutes: There are generally three listening texts on cassette. Exercises to aid your understanding are included in the ***Livre de l'étudiant***.

Compétences orales et écrites: In this section, there is an examination of a particular aspect of language use and a number of tasks are given, based on the topic of the unit.

The Study skills section provides advice on language learning and the way to tackle your examinations. These include Listening, Speaking, Reading, Writing, Course work and Revision.

The Grammar section is set out in a clear, tabulated form with examples, explanations and exceptions. There is, however, no glossary of selected words from the texts and exercises, as students should, at this level, be practising their dictionary skills.

Everything in the ***Livre de l'étudiant*** is reinforced with extra work in the Teacher's Resource Book, which contains photocopiable reading, listening and grammar worksheets, the transcripts of the tapes and keys to all the exercises. There are also further listening texts on cassette which can be used in class or for self-study.

Language learning is an enjoyable and fruitful process, but it also involves much hard work. Your immediate goal is A Level, but language learning will go on throughout your life. With ***Réalisations***, we hope that your work will be both interesting and successful, and that you will move on to greater understanding and fluency in French.

Bonne chance!

Ted Neather **Ian Maun** **Isabelle Rodrigues**

La France : Ses villes et sa physionomie

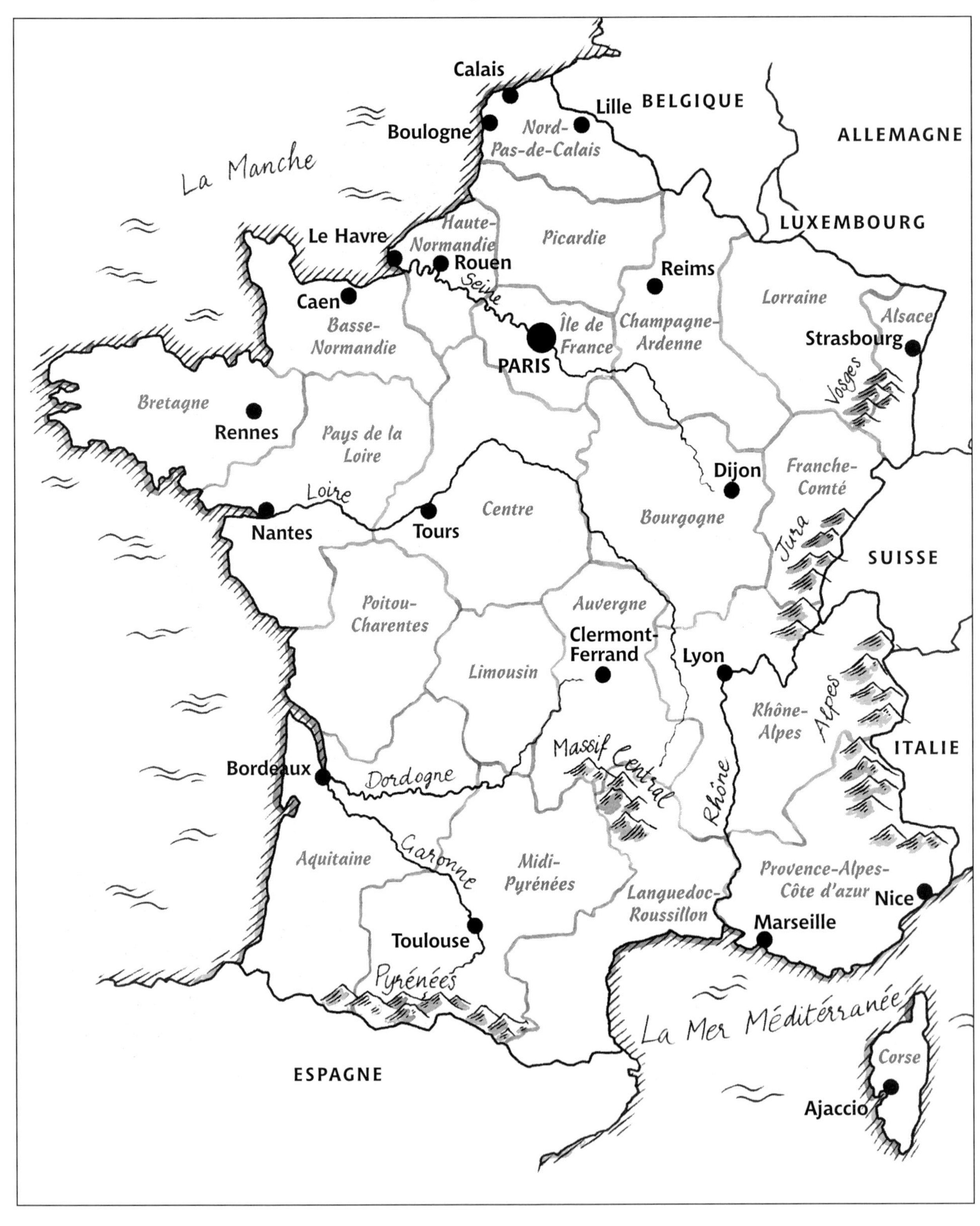

La France : Son réseau de communications

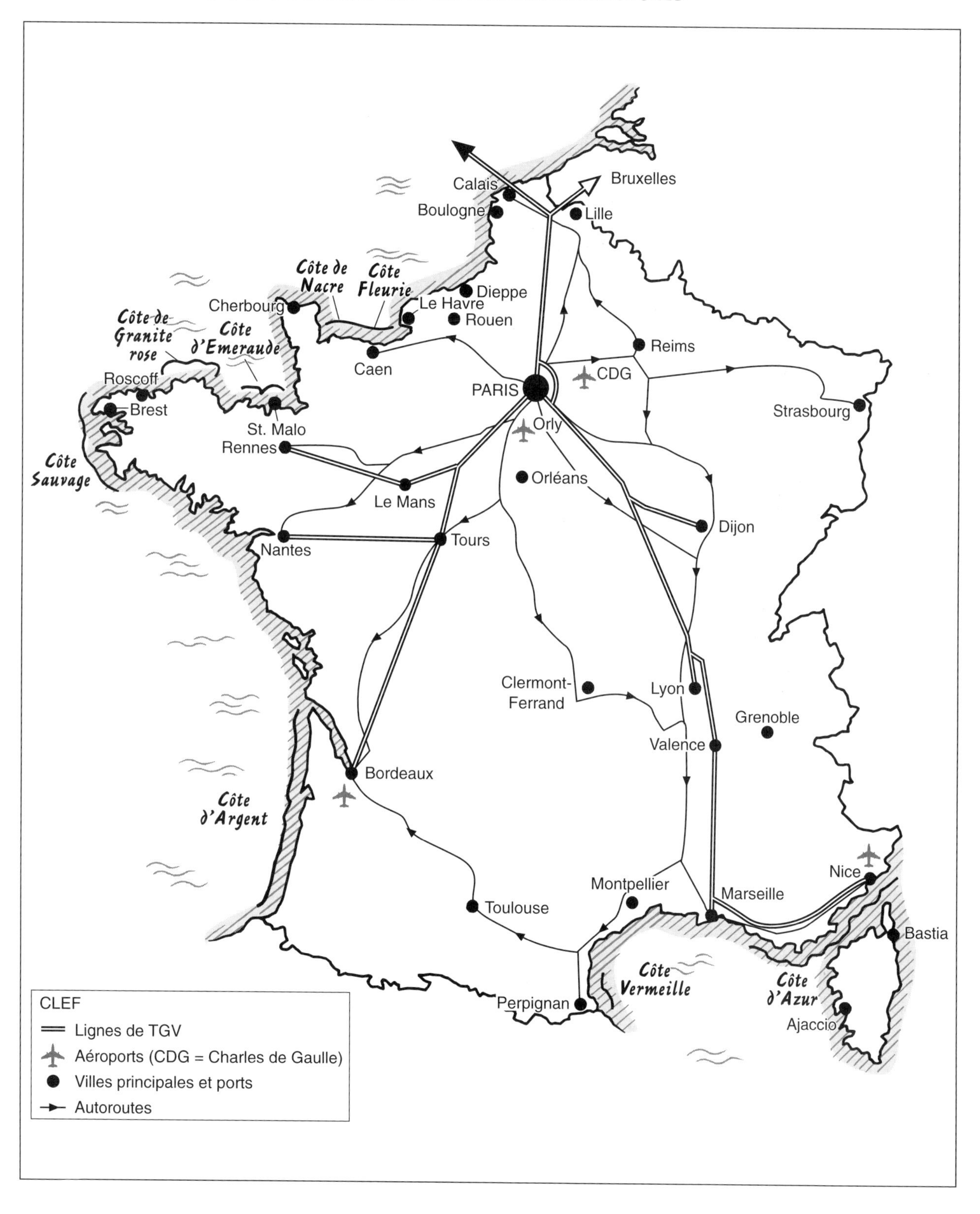

1 Ville et campagne

Contenu

“ Les villes ne cessent de s'aggrandir. En quelques années le paysage urbain peut changer tellement qu'il suffit de s'absenter quelque temps pour ne plus reconnaître un quartier d'une ville qu'on connaissait bien. La concentration de tant d'individus dans les villes et leurs banlieues ne va pas sans créer de problèmes. Cependant, vivre à la campagne ou vivre en ville, est-ce vraiment un choix ? Pour les citadins qui avaient rêvé d'un retour à la campagne, la réalité quotidienne s'est révélée parfois très différente de ce qu'ils avaient imaginé!

Lecture 1

Les enfants et la ville

Depuis qu'ils construisent les villes modernes, les architectes oublient régulièrement les enfants. Ils les refoulent. "Mais où sont donc passés les enfants ?" peut-on s'écrier. Sauf aux heures de sortie des écoles, vous ne les voyez presque pas. Ils sont parqués. Parqués chez eux devant la télé, parqués dans les écoles ou ailleurs. "Rentre vite, dit maman, ne traîne pas."

Elle pense au pire, le trafic, les embouteillages, les agressions. Quand par hasard les jeunes débordent comme un lait qui bout et descendent en foule dans la rue, les forces de l'ordre se chargent vite de les faire rentrer derrière les barreaux. C'est triste une ville sans enfants.

Le cas des planches à roulettes, les fameux skateboards, est symptomatique. Les braves gens ont beaucoup dit que c'était dangereux et l'épidémie a passé en coup de vent. Les patins à roulette tentent de les relayer. Mais où peuvent aller les patineurs sinon dans les jambes des passants ?

Non, les villes dont les princes sont les enfants n'existent plus. Interdits les escaliers, les couloirs, les pelouses. Interdits les stades pourtant vides ; interdits les terrains vagues. Un comble : dans les nouveaux villages qui ceinturent l'agglomération parisienne, même là, les enfants sont interdits de gazon !

1 Faites correspondre les expressions du texte de gauche avec les explications à droite.

Exemple : les forces de l'ordre = la police

a	ils les refoulent	**i**	des espaces ni construits ni plantés
b	... est symptomatique	**ii**	la police
c	les forces de l'ordre	**iii**	des personnes qui se veulent moralistes
d	les braves gens	**iv**	ne pouvant pas marcher sur l'herbe
e	les terrains vagues	**v**	on les fait reculer
f	interdits de gazon	**vi**	c'est l'indice ou le signe de quelque chose

2 Faites une liste de tous les endroits qui sont interdits aux jeux d'enfants.

Exemple : la rue

3 Pour chaque endroit mentionné dans votre liste, donnez une raison pour exclure les enfants.

Exemple :
La rue : le danger des accidents de route ; le trafic

4 Répondez en français aux questions suivantes.

a Pourquoi, pour les auteurs, est-ce que les planches à roulettes sont "symptomatiques" de la situation qu'ils décrivent ?

b Qu'est-ce que vous comprenez par la phrase "les patins à roulettes tentent de les relayer" ?

c Pourquoi les patins à roulette vont-ils sans doute perdre leur popularité ?

Lecture 2

La ville de l'avenir

La croissance des villes, phénomène sans précédent dans l'histoire de l'humanité, est un des enjeux majeurs du 21e siècle, sur le plan urbanistique, social et politique. Dans quelle ville vit-on aujourd'hui ? Les villes européennes ont-elles une histoire commune ? Quelles sont les grandes évolutions de l'architecture et de l'urbanisme français depuis le 19e siècle ? Peut-on parler d'échec de certains modèles d'urbanisme et faut-il repenser la ville autrement ? Qu'est-ce qu'une politique de la ville et quelles solutions la France propose-t-elle face à certains phénomènes d'exclusion sociale ? Comment les Français vivent-ils à l'intérieur de leurs logements ?

1. Vous trouverez dans le texte sept questions. Faites d'abord une liste de toutes ces questions.

   Exemple : Dans quelle ville vit-on aujourd'hui ?

2. Cherchez dans votre dictionnaire le sens des mots suivants et écrivez une définition française de chaque mot.

   Exemple : croissance = augmentation, développement

enjeu	urbanistique	échec

3. Cachez le texte et réécrivez l'extrait ci-dessous en remplissant les blancs avec un mot approprié choisi de la liste donnée.

   Les villes européennes ont-elles une histoire .... ? Quelles sont les grandes .... de l'architecture depuis le 19e siècle ? Peut-on parler d' .... de certains modèles d'urbanisme et faut-il .... la ville autrement ? Quelles solutions la France propose-t-elle face à certains phénomènes de l' .... sociale ? Comment les Français vivent-ils à l'intérieur de leurs .... ?

repenser	partagée	échec	entrée	changements	arrivée
commune	exclusion	logements	réfléchir	habitations	évolutions

Point-grammaire . . . .

Les adjectifs interrogatifs voir page 130, § 26

L'adjectif interrogatif se traduit en anglais par *which* ou par *what* :

Dans **quelle** ville vit-on aujourd'hui ?
What *(sort of) town are we living in today?*

Quelles solutions la France propose-t-elle ?
What *solutions are put forward by France?*

L'adjectif interrogatif peut se séparer du nom qu'il détermine mais s'accorde toujours avec le nom en genre et en nombre :

Quelles sont les grandes **évolutions** de l'urbanisme français ?
What are the major stages in the evolution of French town planning?

Pratique de la grammaire . . . .

Les adjectifs interrogatifs

1 Vous recevez une carte d'un ami qui vous invite à passer un week-end à la campagne. Mais les instructions sur la carte ne sont pas du tout claires. Faites une liste des questions que vous allez poser à chaque fois que vous voyez un point d'interrogation.

Exemple : quelle maison ?

La maison (?) se trouve pas loin du village (?) qui lui n'est pas loin de l'autoroute (?). On se retrouvera là au week-end (?). Quittez l'autoroute par la sortie (?) et suivez la petite route (?). Laissez la voiture au parking (?) et prenez le chemin (?) à pied. En arrivant, vous verrez qu'il y a plusieurs portes d'entrée. Frappez à la porte (?). On pourra faire les excursions (?) ensemble et manger au restaurant (?).

2 Posez des questions à des amis pour essayer de résumer le pour et le contre de la vie en ville ou de la vie à la campagne. Employez toutes les formes de question que vous connaissez.

Groupez les réponses sous les titres suivants. Pour vous donner un exemple, voici ci-dessous des questions pour le titre 'les transports'.

- Les transports
- Les divertissements
- Les plaisirs du cadre urbain ou rural
- Les contacts humains

Quelles sont les possibilités de transport à la campagne et en ville ?
Quels sont les désavantages de la campagne à cet égard ?
Comment les campagnards arrivent-ils à se déplacer si les transports publics sont rares ?
Est-ce que les transports en ville sont toujours comme il faut ?
Quelle serait une façon d'améliorer la mobilité des campagnards ?
Les transports publics, **devraient-ils** être subventionnés ?

Maintenant, continuez à poser des questions sur les autres titres.

Interview avec Nancy

Écoutez l'interview avec Nancy. Elle parle de sa vie dans le Midi et des différences entre le sud et le nord de la France.

1 Repérez dans l'interview les termes qui appartiennent aux catégories suivantes et répertoriez-les.

le nord	le sud	les métiers	l'amitié	le stress
les gens du nord				

2 Réécoutez l'interview avec Nancy. Copiez le tableau suivant. Puis, en écoutant une deuxième fois, insérez sous chaque titre les précisions données par Nancy.

Population d'Agde en hiver:	**Population d'Agde en été:**
Réputation des méridionaux:	**Réputation des nordistes:**
L'amitié chez les méridionaux:	**L'amitié chez les nordistes:**
Vie dans le Midi:	**Vie dans le nord:**
Ponctualité dans le Midi (Pourquoi?):	**Ponctualité dans le nord** (Pourquoi?):

Lecture 3

LA RÉSIDENCE SECONDAIRE

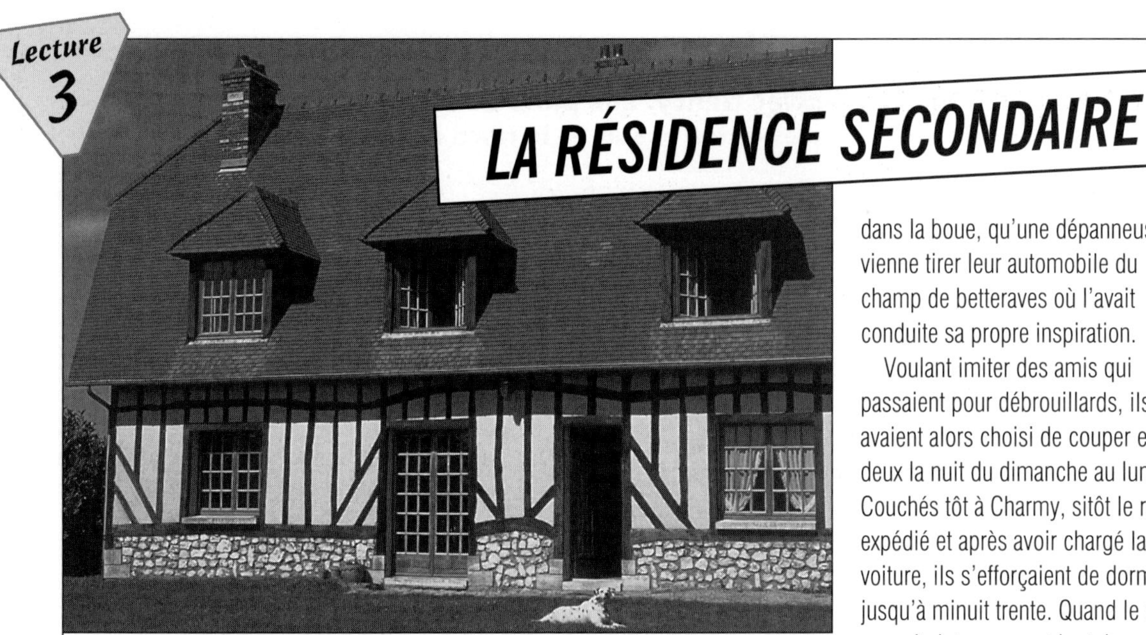

Depuis qu'ils possédaient une résidence secondaire à Charmy-les-Ormes, au sud-ouest de Paris, les Paulain avaient pratiqué pour s'y rendre ou en revenir tous les horaires et essayé une douzaine d'itinéraires plus ou moins recommandés. Si l'aller restait relativement aisé, le retour était plein d'aléas.

Au commencement, ils rentraient après le dîner et arrivaient à Paris en pleine nuit. Le lendemain, les enfants somnolaient sur les bancs du lycée. Ils avaient ensuite tenté le retour à l'aube du lundi, mais Jérôme s'était endormi au volant et, un matin de novembre, la famille grelottante avait dû attendre jusqu'à midi, les pieds dans la boue, qu'une dépanneuse vienne tirer leur automobile du champ de betteraves où l'avait conduite sa propre inspiration.

Voulant imiter des amis qui passaient pour débrouillards, ils avaient alors choisi de couper en deux la nuit du dimanche au lundi. Couchés tôt à Charmy, sitôt le repas expédié et après avoir chargé la voiture, ils s'efforçaient de dormir jusqu'à minuit trente. Quand le réveil sonnait, interrompant brutalement ce qu'il est convenu d'appeler le premier sommeil – expression qui, dans ce cas, prenait sa pleine signification – ils se levaient en maugréant et démarraient en faisant aboyer tous les chiens du village. C'était l'heure idéale. Par une route libre, ils regagnaient Paris en moins d'une heure.

1 Vous trouverez dans le texte l'équivalent français des expressions anglaises suivantes. Trouvez ces équivalents et faites-en une liste.

Exemple : *more or less* = plus ou moins

full of risks
in the middle of the night
at dawn
at the steering wheel
until midday
as soon as the meal had been dealt with
what people usually call

2 Lisez d'abord les notes sur le plus-que-parfait à la page 13. Puis, cherchez dans le texte les sept exemples de verbes au temps plus-que-parfait. Faites-en une liste.

Exemple : les Paulain avaient pratiqué

3 En travaillant avec un(e) partenaire, trouvez des réponses aux questions suivantes.

- **a** Qu'est-ce que c'est qu'une résidence secondaire ?
- **b** Pourquoi a-t-on besoin d'une telle résidence ? Quels en sont les avantages ?
- **c** Quels sont les désavantages indiqués dans ce passage ?
- **d** Est-ce que vous pouvez imaginer d'autres désavantages ?
- **e** Pensez-vous qu'il est juste d'avoir une résidence secondaire alors que certains n'ont pas de domicile ?

Point-grammaire

Le plus-que-parfait voir page 143, § 57–58

1 Le sens du plus-que-parfait

Au commencement, ils **rentraient** après le dîner et **arrivaient** à Paris en pleine nuit. Ils **avaient** ensuite **pratiqué** pour s'y rendre tous les horaires.
*At first they **used to** return home after dinner and **arrived** in Paris in the middle of the night. After that they **had tried out** all possible timetables for getting home.*

La description ici est déjà au temps passé (ils **rentraient**... **arrivaient**). Le plus-que-parfait s'emploie pour désigner un événement **dans un passé antérieur**. Il se trouve souvent dans le style indirect :

Jérôme **a dit** qu'il **s'était endormi** au volant.
*Jérôme **said** that he **had fallen asleep** at the wheel.*

2 Le plus-que-parfait du verbe **devoir**
Vous avez déjà appris comment se traduit en anglais le passé composé de **devoir** :

Il **a dû** quitter une entreprise.
*He **had to** leave a firm.*

Si une personne vous avait raconté cet événement, vous en feriez ce rapport :

Il m'**a dit** qu'il **avait dû** quitter une entreprise.
*He **told** me that he **had had to** leave a firm.*

Vous trouverez un exemple du plus-que-parfait de **devoir** dans la *Lecture 3* :

La famille grelottante **avait dû** attendre jusqu'à midi...
*The shivering family **had had to** wait until midday ...*

Pratique de la grammaire

Le plus-que-parfait

1 Vous allez réécrire le passage suivant en ajoutant au début les mots "Il nous a raconté que...". Les verbes en caractères gras seront au plus-que-parfait. Attention au sujet du verbe.

Toute la famille **était** d'accord pour acheter une résidence secondaire, mais nous **avons** toujours **eu** du mal avec le voyage. Nous **avons commencé** par quitter la ville à cinq heures le vendredi après-midi, mais il y **avait** tellement de circulation à cette heure-là que nous **avons dû** décider ou de partir beaucoup plus tôt ou d'attendre la fin de la soirée. La meilleure solution **était** de partir en début d'après-midi, mais cela nous **a causé** des ennuis avec le travail. Ça n'**a** jamais **été** mieux pour le retour. Nous **avons choisi** d'abord de partir très tard le dimanche, mais on **a** tous **été** très fatigués le lendemain. Pourtant, quand on **partait** plus tôt, le week-end **était** trop court. Je me **suis** souvent **demandé** si une résidence secondaire n'apporte pas plus d'ennuis que de plaisirs.

2 Écrivez une histoire qui commence avec les phrases suivantes. Continuez votre histoire au plus-que-parfait.

C'était ma deuxième visite chez ma grand-mère à la campagne, et j'espérais que cette fois ne serait pas une catastrophe comme la première fois. Cette première visite avait déjà mal commencé parce que... Mais ce qui était arrivé après était bien pire.

Ville ou campagne ? (i)

Natacha et Sylvain discutent de la vie en ville et à la campagne.

1 Vous allez entendre certaines expressions dans le texte. Retrouvez à droite les synonymes des expressions à gauche.

a	vivre	**i**	est la propriété (de)
b	tout d'abord	**ii**	trafic
c	appartient (à)	**iii**	triste
d	s'en va	**iv**	habiter
e	loger	**v**	héberger
f	maussade	**vi**	premièrement
g	circulation	**vii**	divertissements
h	distractions	**viii**	part

2 Pour chacune des phrases suivantes, dites si, 'oui' ou 'non', elle exprime ce que dit Natacha.

a Les campagnards ont une certaine mentalité qui diffère de celle du citadin.
b La campagne doit être réservée à ceux qui l'exploitent.
c Il a fallu changer la campagne pour que l'on puisse y habiter.
d La pollution des villes est vraiment exagérée.
e Dans les villes on dispose de tout ce dont on a besoin.

3 Imaginez que vous participez à une conversation où votre partenaire fait les remarques suivantes. Comment réagissez-vous à ces remarques ?

– Je ne peux absolument pas comprendre quelqu'un qui aime vivre en ville.
– Je ne vois pas pourquoi quelqu'un qui travaille en ville s'en va habiter à la campagne.
– La ville, c'est vivant, c'est gai.

La renaissance rurale

Rural.
Rural : l'adjectif semble aujourd'hui ne pouvoir être accolé qu'aux mots de déclin, désespoir, agonie, désertification, disparition, extinction etc. La France rurale est présentée comme disparue, cette France rurale des hommes et des femmes invisibles dans des centaines de petites villes, sur des milliers de kilomètres carrés de campagnes inexplorées : une immensité que les Français nomment maintenant la "France profonde". La puissance du développement urbain et de son corollaire, l'exode rural, au cours des cent à cent cinquante dernières années aurait tout emporté.

Et pourtant.
Et pourtant, si la dépopulation agricole reste d'actualité, le mouvement global d'exode rural et de diminution de la population des communes rurales, est bel et bien pratiquement stoppé depuis près de deux décennies. Après une longue période de déclin, la population de l'ensemble des communes rurales françaises a connu une relative stabilisation (période 1968–75), puis une croissance significative (période 1975–1982) confirmée par les résultats du dernier recensement de 1990.

Dès 1975, la population des communes rurales, en chiffres absolus, a repris une croissance substantielle. 42 % de la population française réside dans des communes non-urbaines ou dans des communes appartenant à de petites unités urbaines, inférieures à 20 000 habitants.

1 Pour chacune des phrases suivantes, écrivez une définition qui explique ce concept à quelqu'un qui ne le connaît pas.

Exemple :
la France profonde = une expression qui décrit la campagne française, loin des villes et comme perdue ou oubliée, mais où on trouve, peut-être, la 'vraie' France des jours anciens

- le développement urbain
- l'exode rural
- la dépopulation agricole
- une commune non-urbaine
- la renaissance rurale

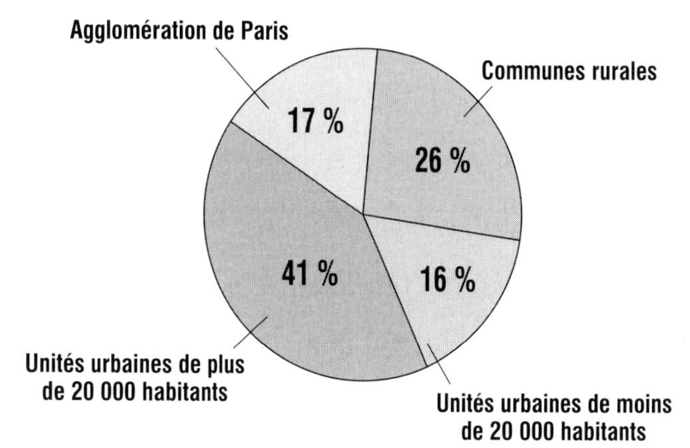

2 Trouvez pour chacun des mots suivants un mot ou une expression qui a le sens opposé.

Exemple : déclin ≠ croissance, développement

désespoir	inexploré
désertification	inférieur à
dépopulation	invisible
disparition	significatif
extinction	stabilisation

3 Répondez en français aux questions suivantes.

a Qu'est-ce qui a amené les gens à avoir une idée si négative de la France rurale ?
b Dans quel sens est-ce que 'l'exode rural' est le corollaire du 'développement urbain' ?
c Le texte nous explique que plus de gens habitent la campagne et pourtant qu'il y a moins de gens qui travaillent dans l'agriculture. Comment expliquez-vous ce phénomène ?

4 Êtes-vous ville ou campagne ? Choisissez parmi les adjectifs suivants les mots qui, selon vous, décrivent le mieux la ville et la campagne.

> triste gai morne désert bruyant mort vivant fascinant reposant ennuyeux relaxant amusant excitant stimulant

Ajoutez encore des mots. Dressez deux listes.

La ville est… **La campagne est…**

Maintenant, donnez des raisons pour chaque opinion.

Exemple : La campagne est triste parce qu'il n'y a pas de distractions.

5 Faites un sondage parmi vos amis pour connaître leurs opinions sur la ville et la campagne. Posez des questions avec les mots ci-dessous telles que :

Est-ce que tu trouves que la campagne est triste ?

triste	gaie	morne	déserte	bruyante	morte	vivante	fascinante
reposante	ennuyeuse	relaxante	amusante	excitante	stimulante		
inanimée	polluée	démodée	puante				

Préparez un tableau comme l'exemple ci-dessous et complétez-le.

Ami 1		**Ami 2**		**Ami 3**	
campagne	**ville**	**campagne**	**ville**	**campagne**	**ville**
morte					

Ville ou campagne ? (ii)

Natacha et Sylvain discutent des problèmes de la circulation et d'autres aspects de la vie en ville et à la campagne.

1 Mariez les débuts des phrases suivantes à leurs fins.

a Sylvain est convaincu que la possession
b Natacha pense qu'il faut
c On doit forcer les gens
d Faire un petit tour à la campagne
e Il existe dans les villes
f Tout en habitant en ville,

i est bon pour la santé.
ii il faut être près de la campagne.
iii des jardins publics.
iv d'une voiture est essentielle.
v à aller à pied.
vi renforcer les règlements sur le trafic.

2 Pour chacune des phrases suivantes, dites si, 'oui' ou 'non', elle exprime ce que dit Natacha.

a Il faut absolument avoir une voiture pour se déplacer en ville.
b Les citadins devraient avoir la liberté d'aller où ils veulent en voiture.
c Il y a quand même des jardins publics dans les grandes villes.
d Même en habitant dans une grande ville, on peut trouver un certain équilibre.
e Ce n'est qu'au week-end que les citadins ont besoin de la campagne.

3 Comment limiter le trafic en ville ? Regardez les solutions suivantes proposées par Natacha, puis, discutez-en avec un(e) partenaire.

Solutions proposées par Natacha :
- On devrait réglementer les transports privés.
- On devrait forcer les citadins à aller à pied.
- On devrait forcer les citadins à utiliser les transports publics.

Réparons nos banlieues

La tendance actuelle est à la formation de ghettos, ce qui menace à court terme les chances d'intégration des immigrés. Les marcheurs de SOS-Racisme, qui ont fait un tour de France des banlieues en témoignent. La photographie qu'ils tirent de la France urbaine présente un grand corps atteint de paralysie latérale.

Le quartier de Jolivets, à Lunéville, n'est plus qu'un paysage désolé avec des vitres cassées. La ZUP* de Sedan n'est plus desservie par aucun transport en commun, si tant est qu'il y en ait jamais eu. Les banlieues de Montbéliard sont aujourd'hui un désert. Autour, les commerçants, qui avaient pour certains souhaité le départ des immigrés, font faillite et commencent à penser que ce ne sont pas seulement des étrangers qui sont partis : c'est un bout de la région.

Dans la cité de Chamarts à Dreux, il ne reste plus qu'une famille française. C'est une cité qui a fait faillite. Il n'y a aujourd'hui plus de propriétaires, seulement un juriste gestionnaire. Il n'y a plus aucun pouvoir public pour prendre le relais. L'an dernier, il a fallu une intervention d'urgence du ministère des Affaires sociales, en plein hiver, pour établir l'eau courante et le chauffage. Ce n'est pas d'une simple réhabilitation dont ces quartiers ont besoin à ce stade de décomposition, c'est d'un plan de survie.

Comment répondre à cet état des lieux ? Après des années d'expérimentation, c'est l'impasse. Les agglomérations françaises se nécrosent ainsi sur leurs bords. Les centres deviennent des musées où l'ancienneté du bâti est un luxe ; les banlieues vieillissent mal et vite, et se transforment en réserves de pauvres, immigrés et français. Toutes les couches de la vie publique ont ainsi ou participé ou laissé faire ce lent mouvement ségrégatif. Et il ne suffira plus d'un coup de peinture pour revenir en arrière, pour abolir le ghetto. Il faudra aussi s'interroger sur la citoyenneté des immigrés dans les villes.

Certaines communes ont fait cet effort. C'est le cas d'Hérouville-Saint-Clair, dans le Calvados. François Geindre, son maire explique : "A Hérouville-Saint-Clair nous nous sommes donné trois exigences. Primo, traiter les étrangers comme des citoyens à part entière de la ville. Secundo, éviter toute politique spécifique en prenant néanmoins en compte la différence de l'étranger quand elle est incontournable. Et, tertio, ne rien faire sans qu'y soient associés ceux, parmi les Français, qui sont les plus fragiles."

** Zone à urbaniser en priorité. Cette formule, créée en 1958, désigne un quartier où l'État intervient pour implanter des habitations ou des commerces.*

1 Retrouvez dans le texte les mots ou expressions dont la définition est donnée ci-dessous :

- **a** dans l'immédiat, pour le moment, dans un proche avenir
- **b** montrer clairement ; démontrer la vérité de quelque chose
- **c** ne plus assurer un service de communication
- **d** ne plus être capable de payer ; ne plus avoir d'argent ; être ruiné
- **e** situation dont on ne peut sortir ; problème auquel on ne peut trouver de solution
- **f** être atteint/souffrir d'une maladie qui détruit le corps
- **g** les classes, les catégories
- **h** agir bien ou mal envers quelqu'un ; considérer quelqu'un comme
- **i** toutefois, pourtant
- **j** inévitable ; on est forcé d'admettre/de reconnaître que quelque chose existe

2 Selon le sens du texte, retrouvez dans la colonne de droite, la fin de chacune des phrases commencées dans la colonne de gauche.

Exemple :
Les immigrés se regroupent dans les banlieues + qui se transforment alors en véritables ghettos.

a	Ce qui frappe dans les banlieues	**i**	des commerçants ont dû fermer leur magasin.
b	L'absence de transport en commun vers la ville	**ii**	mais on a l'impression de ne plus pouvoir avancer.
c	Après le retour de certains immigrés chez eux,	**iii**	c'est la dégradation des locaux.
d	On a tout essayé au cour des années	**iv**	pour résoudre le problème de survie des banlieues.
e	Les pouvoirs publics ne trouvent pas de solution	**v**	et de traiter les immigrés comme des citoyens français.
f	La solution serait peut-être de refuser la ségrégation	**vi**	contribue à isoler la banlieue.

3 Reformulez les phrases suivantes pour mettre les mots dans le bon ordre sans regarder le texte. Faites attention en particulier à la position des négatifs 'ne... plus' et 'ne... pas'.

a de Jolivets n'est quartier qu'un plus désolé paysage Le.
b Sedan desservie plus commun en n'est ZUP La de aucun par transport.
c seulement étrangers mais peu région Ce pas n'était les qui la étaient un partis de
d seule française Il ne plus qu'une aujourd'hui famille reste.
e n'y Il de plus propriétaires a.
f Il a aucun relais plus pouvoir pour prendre n'y le public.
g n'est dont d'une Ce réhabilitation ces simple quartiers ont pas besoin.

4 En suivant la première partie du texte de "Le quartier de Jolivet..." jusqu'à "survie", relevez et expliquez les différentes étapes du processus qui aboutit à la paralysie puis à la nécrose des banlieues.

Exemple :
"paysage désolé de vitres cassées" – les locaux/les logements se dégradent/s'abîment

5 Dans le paragraphe 4 ("Comment répondre... dans les villes") relevez tous les termes qui traduisent le pessimisme de l'auteur en ce qui concerne les banlieues.

Exemple : l'impasse

Puis résumez en une ou deux phrases l'idée principale de ce paragraphe en expliquant pourquoi l'auteur déclare : "C'est l'impasse".

Point-grammaire

L'usage de l'infinitif voir pages 148–149, § 68–69

Si un verbe introduit un second verbe, ce second verbe est toujours à l'infinitif. Ce second verbe peut être introduit de plusieurs façons.

1 L'infinitif est introduit **directement** (sans prépositions entre verbe et infinitif) :

Il **faudra s'interroger**.
Le maire **veut intégrer** les étrangers.

Les verbes suivis directement de l'infinitif sont :

- Les verbes qui expriment un souhait, un espoir :

  Le maire **souhaite** intégrer les étrangers.
  The mayor is hoping to integrate foreigners.

- Les verbes de mouvement :

  Ils avaient dû attendre qu'une dépanneuse **vienne** tirer...
  They had to wait for a breakdown truck to come and pull ...

- Les verbes d'opinion (si le verbe et l'infinitif ont le même sujet) :

  Les marcheurs **pensent** avoir une image claire...
  Walkers think they have a clear idea ...

- Les verbes de perception :

  Je les **ai vus** partir ; avez-vous **entendu** dire...
  I saw them leave; have you heard ...

- Les verbes : **devoir** ; **pouvoir** ; **vouloir** ; **savoir** ; ***faire*** ; **laisser** :

  Où **peuvent** aller les patineurs ?
  Where can the skaters go?

  La famille **avait dû** attendre...
  The family had to wait ...

  Ils démarraient en **faisant** aboyer le chien.
  They set off and made the dog bark.

- Les verbes impersonnels : **il faut** ; **il vaut mieux** :

  Il **faudra** s'interroger...
  We shall have to ask (it will be necessary to ask) questions about ...

2 L'infinitif est introduit par une préposition **à**, **de**, **par**, **pour**, **sans**.
La préposition peut-être réclamée :

- Par un nom :
  Nous nous sommes donné comme exigence **de traiter** les étrangers...
  We made a point of treating foreigners ...

- Par un adjectif ou un participe passé :
  Il est triste **de constater**...
  It is sad to note ...

- Par un verbe :
  Les commerçants commencent **à penser**...
  The traders are starting to think ...

  Ils s'efforçaient **de dormir**.
  They made an effort to get to sleep.

3 Dans les propositions indépendantes l'infinitif peut être utilisé seul.

- Il dépend d'un nom (d'un adjectif ou d'un verbe) qui se trouve dans la proposition précédente :

  Primo, **traiter** les étrangers... Secondo, **éviter** toute politique spécifique... Tertio, ne rien **faire**.
  (Ici sous-entendu : nous nous sommes donné l'exigence de traiter... .)
  Firstly, treat foreigners ... Secondly, avoid any specific policies ... Thirdly, do nothing.

- Dans les propositions interrogatives, l'infinitif est introduit par un adverbe ou un pronom interrogatif :

  Comment **répondre** à cet état des lieux ?
  How can we respond to this state of affairs?

  Que **faire** ?
  What can be done?

- Il peut avoir la même fonction qu'un nom :

  Voir, c'est **croire** ; **travailler** l'aidera à oublier.
  Seeing is believing; working will help him forget.

Les verbes impersonnels

Certains verbes sont dits impersonnels parce qu'ils ne varient pas en personne. Ils s'utilisent uniquement à la troisième personne du singulier, précédés du pronom **il**. Vous connaissez déjà **il faut**. Dans ce texte vous trouverez des exemples du temps passé 'il a fallu' et du temps futur 'il faudra'.

Il a fallu une intervention d'urgence pour...
It was necessary *to intervene urgently in order to ...*

Il faudra aussi s'interroger sur la citoyenneté.
We shall *also* ***have to*** *ask questions about citizenship.*

Il suffit de (*it is enough to*), se trouve ici au futur :

Il ne suffira plus d'un coup de peinture.
It will no longer be enough to *give it a lick of paint.*

Pratique de la grammaire . . . .

Verbes suivis de l'infinitif

1 Remplacez par un infinitif direct le verbe de la proposition subordonnée de chacune des phrases suivantes.

Exemple : Vous avouez que **vous avez commis** le crime ?
Vous avouez **avoir commis** le crime ?

a Vous avez vu que les bâtiments se dégradaient.
b Madame Martin pense qu'elle partira dans un prochain avenir.
c Monsieur Paulin espère qu'il pourra acheter une propriété à la campagne.
d Les enfants pensent qu'ils ont le droit de jouer dans la rue.
e Les parents avouent qu'ils craignent les agressions dans la rue.

2 Retrouvez dans la colonne de gauche, la fin de chacune des phrases commencées dans la colonne de droite.

a	Les familles françaises ont préféré	**i**	à créer des espaces pour enfants.
b	Les parents défendent aux enfants	**ii**	de rétablir l'eau courante.
c	Le maire d'Hérouville veut absolument	**iii**	quitter la cité de Chamarts.
d	Pour sauver la banlieue il ne suffira pas	**iv**	de repeindre les HLM.
e	Dès 1960, les architectes ont commencé	**v**	associer les immigrés à la vie publique.
f	Les architectes auraient dû penser	**vi**	de jouer dans la rue.
g	C'est le ministère qui s'est chargé	**vii**	à construire des tours.

3 Dans le texte ci-dessous remplissez les blancs en mettant le verbe entre parenthèses à l'infinitif et en utilisant quand il le faut, une préposition.

Les Lefèvre avaient décidé .... (*to move*) à la campagne. Pourtant après 10 années à Paris, ils étaient habitués .... (*to live*) en ville. Cependant ils supportaient de moins en moins .... (*to see*) leurs enfants .... (*to grow up*) loin de la campagne. Ils voulaient les .... (*to see*) courir en pleine nature. Ils refusaient aussi .... (*to carry on*) .... (*to waste*) leur temps chaque jour dans les embouteillages. Ils s'étaient donc mis .... (*to think of*) aux moyens .... (*to leave*). On leur avait conseillé .... (*not to leave*) Paris avant d'avoir vendu leur appartement. Alors, ils passaient tous les week-ends à parcourir la campagne .... (*to find*) la maison de leurs rêves. Ils voulaient .... (*to buy*) une chaumière non loin de Paris.

4 Traduisez les phrases suivantes.

a *Children stay at home watching television.*
b *If young people take to the streets, the police make sure they go home.*
c *You are not allowed to walk on the lawns of the new villages around Paris.*
d *We have to rethink a new type of city.*
e *The Paulins had tried to come back to Paris every Monday morning.*
f *They had had to wait until twelve o'clock.*
g *Shopkeepers are beginning to think a part of the region is now missing.*
h *Last year, an emergency plan was necessary to restore running water.*

Compétences orales et écrites . . . .

Discuter des préférences et préparer ses arguments

1 Avec un(e) partenaire :

a discutez de l'endroit où vous préféreriez vivre : dans une capitale ? une ville moyenne ? à la campagne ? et expliquez vos raisons pour ce choix ;

b puis, discutez du type d'habitation dans lequel vous préféreriez vivre et donnez vos raisons ;

c après avoir écouté les opinions exprimées par l'ensemble du groupe, composez un petit rapport écrit intitulé : Préférences des jeunes en matière d'habitation.

2 Les autorités locales ont décidé de construire une autoroute qui va traverser un très joli coin rural de votre région pour relier votre ville à la grande ville la plus proche.

Divisez-vous en deux groupes.
Le groupe A représente les responsables des autorités locales.
Le groupe B est un groupe d'écologistes qui s'oppose à ce projet.

a Chaque groupe prépare ses arguments en essayant de prévoir quels seront les arguments présentés par le groupe adverse.

b Table ronde. Chaque groupe tour à tour expose ses arguments au groupe adverse.

N.B. N'oubliez pas d'utiliser des expressions telles que :
Je suis sûr que, il est évident que, nous trouvons/pensons/estimons/sommes convaincus que, etc.

3 Imaginez que vous habitez dans une ZUP qui connaît tous les problèmes exposés dans la *Lecture 5*.

Avec un groupe d'amis de votre âge qui habitent dans le même quartier, vous décidez d'écrire une lettre au maire pour obtenir qu'un service régulier d'autobus desserve votre zone.

a D'abord vous lui expliquez pourquoi votre zone devient un ghetto.

b Puis, vous lui montrez la nécessité pour les jeunes de se rendre en ville.

c Enfin, vous essayez de le convaincre que "rapprocher" la banlieue de la ville ne peut être que bénéfique pour la population.

2 Inégalité et exclusion

Contenu

“ **Qui sont les exclus ?** Et qu'est-ce que la fracture sociale ? Ce sont des termes à la mode mais qui révèlent une misère de notre ère, la misère de ceux qui se trouvent en dehors de la société prospère. Et cela pour bien des raisons, entre autres le chômage, la pauvreté, l'origine ethnique. Comment faire face à ce malaise de notre société ? ”

Lecture 1

L'EXCLUSION – QU'EST-CE QUE C'EST ?

L'exclusion ne se réduit pas à la crainte de perdre son emploi. C'est surtout la crainte de descendre, une à une, toutes les marches de la société. De perdre son logement, de voir fuir ses amis, ses proches, d'être contraint au divorce, de ne plus avoir la force un matin de se lever pour chercher du travail, de devoir manger aux Restaurants du cœur. Bref, une fragilité économique, sociale, affective. Selon une enquête réalisée en 1994, douze millions de Français seraient ainsi en "situation de fragilité économique et sociale". Vécue au quotidien, l'exclusion révèle des phénomènes inquiétants. Une nouvelle misère sociale qu'on croyait disparue depuis le 19e siècle. Le troc, lui-même, revient à la mode.

1 L'auteur de l'article nous présente une liste des craintes que fait naître l'exclusion. D'après le texte, trouvez-en six.

Exemple :
L'exclusion, c'est la crainte de perdre son emploi. C'est aussi la crainte de...

2 L'auteur utilise le mot 'fragilité' dans le sens de 'manque de stabilité' ou 'ne pas être sûr de...'. Expliquez ce que vous comprenez par les expressions suivantes.

a La fragilité économique.
b La fragilité sociale.
c La fragilité affective.

3 Donnez l'explication en français des mots et expressions ci-dessous.

a descendre... les marches de la société
b vécue au quotidien
c le troc

Lecture 2

En finir avec la casse humaine

"On parle peu de l'exclusion rurale, c'est dramatique. Les paysans eux-mêmes en ont honte. Plus encore que les autres, ils sont atteints dans leur dignité."

Agriculteur dans le Morbihan, Edouard Morvan connaît le drame de ces familles brisées qui souffrent en silence, souvent trop fières pour accepter de partager leur douleur. "C'est une terrible casse humaine. Chaque année, il y a des divorces, des suicides, des dépressions." Dans le Morbihan, 4 000 des 12 000 exploitants sont aujourd'hui en situation de fragilité économique.

L'Association de défense et solidarité des agriculteurs en difficulté intervient principalement pour accompagner les paysans dans leurs démarches juridiques lors d'un redressement ou d'une liquidation.

Selon l'association, le tiers des agriculteurs français subiraient des difficultés liées à leurs dettes bancaires. "La paupérisation du monde rural est à l'origine de véritables drames familiaux", s'indigne Edouard Morvan. "Avec la législation actuelle, dès qu'il y a une mise en liquidation dans une famille, la faillite est immédiate."

1 On parle peu de l'exclusion rurale. Mais il est évident qu'à la campagne aussi, on trouve l'exclusion. Cherchez dans ce texte des exemples illustrant les trois 'fragilités' mentionnées dans la *Lecture 1*.

a La fragilité économique
b La fragilité sociale
c La fragilité affective

2 D'abord, relevez dans le texte toutes les expressions qui expriment l'état d'âme des paysans.

Exemple : Les paysans en ont honte.

Puis, écrivez quelques phrases pour donner votre réaction à cet état d'âme. A votre avis, pourquoi les paysans en particulier ont-ils honte ? Quelles seraient vos émotions dans une situation semblable ?

L'origine des termes 'exclusion' et 'fracture sociale' (i)

Les termes 'exclusion' et 'fracture sociale' se lisent dans chaque article de journal où on discute de la société de nos jours. Mais d'où viennent ces termes, qui étaient inconnus il y a 20 ans ? Dans cette interview, Daniel Lemaire, sociologue universitaire, parle de leur origine.

1 Écoutez deux fois cette interview. Comment sont exprimées les idées suivantes ?

- *the break-up of society*
- *the 1970's*
- *standard of living*
- *at the bottom of the social ladder*
- *shanty towns*
- *the rejects of economic growth*
- *the huge rise in unemployment*
- *wage-bargaining*

René Lenoir, ancien secrétaire d'État

2 Écoutez encore une fois cette interview. Puis, mettez dans le bon ordre les phrases suivantes pour obtenir un résumé de ce qu'on dit sur l'exclusion.

a C'est René Lenoir, secrétaire d'État sous Valéry Giscard d'Estaing, qui a été le premier à utiliser le terme exclusion.
b A cette époque-là la pauvreté touchait les gens qui avaient le moins de chance de monter dans la société.
c Le terme 'exclusion' est antérieur à celui de 'fracture sociale'.
d L'exclusion est maintenant si répandue qu'il faut plutôt parler de fracture sociale.
e Avant les années quatre-vingts, on a connu une période de croissance économique.
f Le terme 'exclusion' a changé de sens en raison des nouvelles conditions économiques.

L'origine des termes 'exclusion' et 'fracture sociale' (ii)

Qu'est-ce qu'on entend en France par le terme 'fracture sociale' ? Daniel Lemaire nous parle d'une société divisée.

1 Écoutez deux fois l'entretien, puis mariez les expressions à gauche avec celles qui se trouvent à droite, pour en arriver à avoir un résumé de ce que dit M. Lemaire.

a	Il s'agit maintenant de fracture sociale	**i**	de lutter contre l'exclusion.
b	René Lenoir parle	**ii**	une véritable fracture sociale.
c	De loin, la France	**iii**	le plus visité par les touristes.
d	C'est le pays	**iv**	ne sont plus en jeu.
e	La plupart des gens	**v**	plutôt que d'exclusion.
f	66 % des gens tiennent pour responsable	**vi**	de connaître une explosion sociale.
g	Les anciennes distinctions sociales	**vii**	paraît comme un pays parfait.
h	Il se crée, alors,	**viii**	jugent la société française divisée.
i	La société risque, en plus,	**ix**	la différence entre riches et pauvres.
j	La priorité actuelle, donc, serait	**x**	d'une France paradoxale.

2 Écoutez encore une fois l'entretien. Quelles sont les oppositions traditionnelles qui sont mentionnées ? Selon votre expérience, sous quelles formes ces différences se manifestaient-elles ? Discutez-en avec votre partenaire.

Exemple :
Les gens des villes et les gens des campagnes. Cette différence se manifestait par leur attitude mentale et par leur niveau de vie.

3 Faites une liste des formes d'exclusion qui sont mentionnées dans l'entretien. En connaissez-vous d'autres ?

Les exclus : quelles différences entre 1974 et aujourd'hui ?

Interview avec René Lenoir

C'est vous qui avez été le premier à utiliser le terme d'exclus, en 1974, non ?

C'est vrai, mais à l'époque on ne parlait que de pauvreté et de marginalité. En choisissant ce terme, j'avais voulu exprimer le fait que certaines catégories de la population restaient en dehors du grand mouvement d'enrichissement de la société française.

En quoi les exclus d'aujourd'hui sont-ils différents de ceux de 1974 ?

J'avais isolé, il y a vingt ans, trois grandes catégories d'exclus : les personnes âgées, les personnes handicapées et, enfin, les inadaptés sociaux. Premièrement, les personnes âgées. A l'époque un certain nombre d'entre elles ne participaient pas à la vie sociale. Or, tout cela a radicalemant changé, grâce aux lois sur la retraite, aux aides à domicile, aux clubs de troisième âge, aux universités du même nom. Statistiquement, on peut donc dire que les personnes âgées ne font plus partie des exclus.

Deuxièmement, les personnes handicapées. Elles manquaient alors de tout : d'établissements, de services, de ressources propres. La loi d'orientation du 30 juin 1975 a fait passer toute cette population du régime de l'aide sociale à celui de la solidarité nationale. Plus important, le regard de la société sur les personnes handicapées a changé. On regarde, à la télévision, les jeux mondiaux des handicapés : vous avez dans les grandes surfaces des emplacements réservés, etc.

Par contre, si on regarde la troisième catégorie, les inadaptés sociaux – les alcooliques dépendants, les toxicomanes, les délinquants, les suicidaires, les isolés et les illettrés, nous sommes en pleine régression. Dans toute société il y a toujours eu des gens qui se situent en marge. Mais ce qui frappe aujourd'hui, c'est l'ampleur du phénomène. En 25 ans la criminalité a été multipliée par quatre, les vols à main armée par dix. Il y a deux millions et demi d'alcooliques dépendants, auxquels il faut ajouter 50 000 inculpations par an de consommateurs de drogue, la partie visible de l'iceberg. Tout aussi inquiétante, la consommation de tranquillisants et antidépresseurs a été multipliée par six en 25 ans ! 80 000 personnes sont suivies à l'heure actuelle dans les hôpitaux psychiatriques. Tout cela me fait dire qu'aujourd'hui la grande majorité des exclus sont des déprimés et non plus des révoltés, comme dans les années 70.

Les exclus d'aujourd'hui sont, en effet, passés par toute une série d'échecs : à l'école, dans leur ménage, avec leurs enfants, dans leur profession. Ils éprouvent un très grand mal à réordonner leur existence autour d'un projet de vie. C'est, bien sûr, le chômage qui est la cause essentielle de cette rupture du lien social. Mais ce phénomène intervient également à un moment où les solidarités classiques, familiales ou de voisinage, sont au plus bas, et où l'isolement dans la ville n'a jamais été aussi fort. Regardez le dernier recensement : un ménage sur deux à Paris est composée d'une personne seule.

1 Remplissez les blancs dans le texte ci-dessous pour faire un résumé de la Lecture.

Depuis 1974 le terme exclusion a changé de sens. A l'époque, le mot exclusion signifiait surtout .... et .... Tout cela a changé. La société a changé d'attitude vis-à-vis des personnes .... et des .... Aujourd'hui, les exclus ce sont surtout les inadaptés sociaux, c'est-à-dire des alcooliques, des ...., des délinquants. Toute société a eu des marginaux. Mais aujourd'hui on est frappé par .... du problème. Aujourd'hui, la grande majorité des exclus ne sont pas des révoltés mais des .... Ce qui caractérise les exclus c'est .... Ils ont échoué à l'école, dans leur ménage, dans leur .... Et la cause essentielle de leur exclusion c'est le ....

2 Répondez en français aux questions suivantes.

a Pourquoi René Lenoir a-t-il inventé le terme exclusion à une époque où la France s'enrichissait ?
b Donnez au moins deux exemples de la façon dont la vie des personnes âgées s'est améliorée depuis 1974.
c En quoi les attitudes du grand public envers les personnes handicapées ont-elles changé ?
d Expliquez le sens du terme 'en pleine régression'.
e René Lenoir décrit les chiffres des alcooliques et des toxicomanes comme 'la partie visible de l'iceberg'. Qu'est-ce que cela veut dire ?

3 Les opinions de René Lenoir sur l'exclusion sont citées ci-dessous. Pour chaque opinion exprimée, écrivez deux ou trois phrases pour donner votre point de vue, et dire si vous êtes ou pas d'accord avec cette opinion.

a Les exclus sont des gens qui n'ont connu que l'échec dans leur vie.
b C'est le chômage qui est la cause essentielle de leur chute.
c L'isolement dans la ville n'a jamais été aussi fort.
d La grande majorité des exclus sont des déprimés et non pas des révoltés.

Lecture 4

FAIRE SOUFFLER L'AIR DES VACANCES DANS LES QUARTIERS

On parle peu de l'une des manifestations les plus concrètes de l'exclusion : la relégation dans les quartiers. D'abord, les effets conjugués du chômage, de la paupérisation et de l'origine ethnique concentrent des familles dans une zone d'habitat social. Et comme pour cette population il n'existe plus de raisons de sortir de son quartier, tous les actes de la vie quotidienne se limitent à ses frontières. Peu à peu, l'univers de déplacement se confine à l'environnement immédiat de l'immeuble : et le sentiment d'enfermement, la réduction de l'activité à l'attente d'allocations, le désapprentissage progressif de la mobilité physique renforcent la fragilité psychologique, la peur de sortir du quartier, et inscrivent l'exclusion dans les faits, en termes concrets.

Les habitants ne souhaitent pas forcément quitter les lieux, ils veulent y vivre mieux et ne plus s'y sentir relégués. Le travail offrait cette possibilité, ce n'est plus le cas. Remonter la pente du chômage, c'est la priorité : chacun en sait la difficulté.

Mais il est une autre piste, suffisamment motivante pour donner aux exclus une raison de bouger : les vacances, et particulièrement les vacances familiales. Car les vacances sont liées au plaisir, et elles restent aussi une des rares occasions de brassage social. C'est pourquoi nous avons lancé l'Association Vacances Ouvertes pour permettre aux 'relégués' de sortir de leur quartier.

Proposer des vacances quand l'emploi focalise toutes les attentions, n'est-ce pas une provocation ? L'expérience montre que préparer et réaliser un séjour de vacances ou un voyage constitue un excellent support pédagogique au réapprentissage de l'autonomie et de la mobilité, à la vie de groupe. Bien sûr, ces vacances ne sont pas conçues comme une occasion de consommation mais font l'objet d'une préparation active. Et un projet mené à bien, pour celui qui subit un contexte d'échecs, a valeur d'une promesse tenue. Il est dynamisant et revalorisant, et permet aux jeunes de se confronter davantage et plus souvent à l'extérieur.

1 L'auteur parle du fait que beaucoup de gens sont relégués dans leur quartier et il donne des raisons pour cette relégation. Trouvez dans le premier paragraphe du texte un mot ou une expression qui correspond aux phrases suivantes.

Exemple : on est sans emploi = chômage

a On est devenu pauvre.
b On a des parents immigrés.
c Le champ d'activité.
d On attend les données de la Sécurité sociale.
e On perd l'habitude de bouger.
f On craint de quitter le secteur.

2 Dans les paragraphes trois et quatre, l'auteur nous donne toute une suite de raisons positives pour envoyer en vacances les jeunes des quartiers pauvres. Faites une liste de tous les mots et de toutes les expressions qui vous semblent présenter cette attitude positive.

Exemple : plaisir, brassage social

Point-grammaire

La comparaison des adjectifs – le superlatif

voir page 127, § 20

La qualité, la caractéristique d'un être ou d'une chose exprimée par l'adjectif peut être évaluée par comparaison. On en distingue deux degrés : le comparatif et le superlatif.

L'une des manifestations **les plus concrètes**.
*One of **the most concrete** pieces of evidence.*

La comparaison des adverbes – le comparatif

voir pages 149–150, § 70

Les adverbes aussi peuvent s'employer au comparatif et au superlatif.

Ils veulent y vivre bien.
*They want to have a **good** life there.*
*(Literally : they want to live **well**)*

Ils veulent y vivre **mieux**.
*They want to have a **better** life there.*
*(Literally : they want to live **better**)*

Le présent du passif

voir page 145, § 62

800 000 personnes **sont suivies** dans les hôpitaux psychiatriques.
*800,000 people **are (being) treated** in psychiatric hospitals.*

Un ménage sur deux **est composé** d'une personne seule.
*One household in two **is made up** of a single person.*

Les vacances **sont liées** au plaisir.
*Holidays **are associated** with pleasure.*

Pratique de la grammaire . . . .

Le superlatif des adjectifs

Répondez aux questions suivantes avec une phrase qui contient le superlatif de l'adjectif en caractères gras.

Exemple : Est-ce que les habitants des banlieues sont **pauvres** ?
Réponse : Oui, ce sont les gens **les plus pauvres** de la société.

a Est-ce que leur vie est **inactive** ?
b Est-ce que le travail serait **important** pour ces gens ?
c Est-ce que les vacances offrent une piste **accessible** à l'insertion sociale ?
d Est-ce que les occasions de brassage social sont **rares** ?
e Est-ce qu'un projet de vacances est **revalorisant** pour ces jeunes ?

Le comparatif des adverbes

Écrivez des phrases qui contiennent le comparatif d'un adverbe, en suivant le modèle donné.

Exemple : On ne sort pas **souvent** de son quartier.
Réponse : On devrait sortir **plus souvent.**

a On ne vit pas **bien.**
b On ne se sent pas **bien.**
c On ne mange pas **assez.**
d On ne rencontre pas **fréquemment** d'autres gens.
e Les vacances changent **vite** les attitudes.

Le présent du passif

Réécrivez les phrases suivantes en mettant le verbe en caractères gras au présent du passif.

Exemple : La paupérisation **concentre** les familles dans une zone.
Les familles **sont concentrées** dans une zone par la paupérisation.

a L'origine ethnique **relègue** les gens dans leurs quartiers.
b Le travail **offre** une possibilité de vivre mieux.
c On **propose** des vacances pour encourager le brassage social.
d On **cite** des chiffres.
e On **réordonne** sa vie autour d'un projet.

Les femmes, victimes de l'exclusion

Monique fait partie d'une Association bénévole cherchant à réinsérer dans la société les femmes victimes de l'exclusion. Au cours d'une interview à la radio, elle a expliqué les difficultés qu'elle affronte.

1 Avant d'écouter l'interview, cherchez dans un dictionnaire le sens des expressions suivantes.

héberger
le comportement
supportable
l'accueil
le but
remettre sur pied
un équilibre

2 Parmi les titres suivants, lequel est le plus approprié à ce que vous venez d'entendre, c'est-à-dire, celui qui en reprend l'idée maîtresse ?

Il faut toujours privilégier l'avenir de l'enfant.
Les femmes n'ont plus besoin de leurs enfants.
Il faut laisser respirer les mères.
On sépare les gens en rupture et leurs enfants.

3 Écoutez l'interview deux fois, et puis trouvez dans cette interview les expressions synonymes des suivantes.

a que nous pouvons tolérer
b des familles hôtes
c on nous interroge
d ce qui est le plus important
e aider à se rétablir
f il faudra que l'on y pense

Lecture 5

Les jeunes immigrés en France

Béchir, 17 ans

Leila, 18 ans

"Les jeunes immigrés ne partiront pas. Même s'ils ne sont pas vraiment français, ils ne se connaissent pas d'autres pays d'origine." C'est la conclusion d'un rapport du Ministre de Travail. Dans leur livre *La Fin des Immigrés* Françoise Gaspard et Jean-Jacques Servan-Schreiber confirment : "Ces jeunes ne sont pas des immigrés, pour la simple raison que la plupart d'entre eux n'ont pas émigré. En les désignant à travers l'immigration de leurs parents, on les identifie à ces derniers… Comme si on voulait nier le fait qu'ils sont ce que la France a fait d'eux." "Il faut que les gens cessent de traiter d'immigrés les enfants d'immigrés. Qu'ils cessent d'appeler 'retour' ce qui pour ces jeunes serait un véritable départ", estime la sociologue Jocelyne Streiff-Fénard.

"Nous ne sommes plus des Arabes. Je suis né à Nanterre", explique Béchir. Il a vu ses parents démarrer et ne veut pas subir les mêmes "humiliations". "Ils ne pouvaient pas faire autrement, dit-il, ils espéraient rentrer. Pour nous, c'est différent, notre avenir est ici. Il faut nous donner les moyens de rester."

Leila, 18 ans, apprend la comptabilité. "Je suis une rescapée de l'immigration, dit-elle avec un grand sourire. Dans mon école je suis la seule Arabe." Son originalité, ses "deux cultures" lui paraissent plutôt un avantage. "Parfois, j'ai de la haine, reconnaît-elle. Mais jamais je ne quitterai la France."

Tous les jeunes ne vivent pas aussi bien leur double identité. La plupart ne se sentent pas assimilés à la jeunesse française. Les jeunes filles souffrent plus que leurs frères d'une autorité parentale pesante. Qui n'a pas entendu parler de ces tragédies : séquestrations, mariages forcés, enlèvements, suicides. Beaucoup d'entre elles, pourtant, parviennent à concilier leur appartenance à la communauté musulmane et les acquis de leur vie en France. Elles considèrent déjà que leurs parents ne doivent plus intervenir dans les décisions qui les concernent en premier lieu : mariage, études, choix du pays de résidence. Elles réussissent, en tout cas, beaucoup mieux que les garçons et arrivent plus nombreuses au bac. "Parce qu'elles sont mieux acceptées, remarque un professeur. Mais, surtout, parce que leur besoin d'émancipation est plus fort." La plupart des pères ont du mal à admettre ou seulement à comprendre ces aspirations. "Une fille qui a fait des études ne trouve pas de mari", dit l'un d'eux. Les mères, plus complices, souhaitent que leurs filles réussissent, mais elles comptent aussi sur elles pour les aider à la maison.

Le mariage est, pour les parents obsédés par le maintien des traditions et la survie du groupe, un enjeu capital. Une jeune fille qui épouse un Européen est non seulement "perdue" mais en état de "péché". L'insertion par le mariage n'est donc pas pour demain. 90 % des mariages sont conclus à l'intérieur du groupe. "J'aurai beaucoup de mal à épouser un Français, explique Fatima. Même les plus 'révolutionnaires' entre nous finissent par se marier avec un Maghrébin."

1 Retrouvez dans le texte, le mot ou l'expression qui correspond à chacune des définitions données ci-dessous.

Première partie (jusqu'à 'jamais je ne quitterai la France') :

a dire que quelque chose n'existe pas
b indiquer, nommer, appeler quelqu'un
c mettre en marche un moteur/une voiture ; commencer dans la vie
d quelqu'un qui arrive à sortir sain et sauf d'un danger, ou qui a surmonté une situation difficile
e sentiment que l'on éprouve lorsqu'on déteste quelqu'un jusqu'au point de lui vouloir du mal

Deuxième partie ('Tous les jeunes...' jusqu'à la fin) :

f lourde, pénible
g fait d'isoler quelqu'un et de l'enfermer illégalement
h emmener quelqu'un de force et contre sa volonté loin de son milieu habituel
i arriver/réussir à faire quelque chose
j les connaissances, l'expérience
k le fait de conserver/garder (certaines valeurs/habitudes)
l le fait de continuer à vivre
m le sort/l'avenir dépend de cela

2 Selon vous, parmi les trois phrases ci-dessous, quelle est la phrase qui résume le mieux le paragraphe 1 ?

a Les enfants des immigrés ne sont pas, eux, des immigrés en France.
b Les enfants des immigrés ne veulent pas quitter la France.
c Les enfants des immigrés sont différents de leurs parents.

3 Pourquoi est-il possible de parler de 'la fin des immigrés' ? Expliquez en analysant la situation des parents immigrés, puis celle des enfants, et enfin celle de leurs enfants.

Exemple :
Les parents ont quitté leur pays... Alors que les enfants...

4 Complétez les phrases du tableau ci-dessous en relevant dans le texte, les éléments qui se rapportent à la situation des filles d'immigrés.

Aspects négatifs	**Aspects positifs**	**Raisons de réussite**
Elles souffrent de... *On parle de...*	*Elles parviennent à...* *Elles réussissent...* *Elles arrivent...*	*parce qu'elles...* *parce que...*
Attitude des pères	**Attitude des filles**	**Attitude des mères**
Ils... *Ils...*	*Elles veulent choisir elles-mêmes* *1...* *2...* *3...*	*Elles...* *Elles...*

5 Que veut-on dire dans le texte par 'enjeu capital' lorsqu'on parle du mariage ? Quelle conséquence importante l'attitude des parents vis-à-vis du mariage a-t-elle dans la société ?

Point-grammaire

Verbes suivis du subjonctif
voir pages 146–148, § 66

L'indicatif sert à exprimer la réalité d'une action en la situant dans le temps.

Il **est** à l'étranger. Il **revient** aujourd'hui.
He is abroad. He's coming back today.

Le subjonctif sert à exprimer une action qui est peut-être douteuse ou niée. Le subjonctif ne précise pas si l'action est réelle ou non.

Je ne crois pas qu'il **soit** à l'étranger. Il faut qu'il **revienne** aujourd'hui.
I don't believe he's abroad. He must come back today.

- Le subjonctif après un verbe impersonnel :

  Il faut que les gens **cessent** de traiter d'immigrés les enfants d'immigrés.
  *People **must stop** using the word 'immigrant' for the children of immigrants.*

  Il faut qu'ils **cessent** d'appeler 'retour' ce qui serait un véritable départ.
  *People **must stop** using the word 'return' for what would actually be a real departure.*

  Il faut qu'on nous **donne** les moyens de rester.
  *We **must be given** the means to stay.*

- Le subjonctif après un verbe exprimant un souhait, une attente, une obligation, un doute:

  Les mères **souhaitent** que leurs filles **réussissent**.
  *Mothers **wish** their daughters **to succeed**.*

'Ce qui' et 'ce que'
voir page 134, § 37

Le pronom relatif avec antécédent neutre.

- Le pronom relatif a toujours un antécédent :

  Une fille **qui** a fait des études (antécédent = une fille).
  *A girl **who** has studied.*

  Une jeune fille **qui** épouse un Européen (antécédent = une jeune fille).
  *A girl **who** marries a European.*

- S'il n'y a pas d'antécédent, il faut utiliser l'antécédent neutre **ce** :

  Ils sont **ce que** la France a fait d'eux (antécédent = **ce**).
  *They are **what** France has made them.*

  Appeler 'retour' **ce qui** pour ces jeunes serait un véritable départ (antécédent = **ce**).
  To call it a 'return' when for these young people it would actually be a departure.

Pratique de la grammaire . . . .

Verbes suivis du subjonctif

1 Reformulez chacune des phrases suivantes, en utilisant **il faut que**.

Exemple : Les enfants des immigrés **doivent se sentir** chez eux en France.
Réponse : **Il faut que** les enfants des immigrés **se sentent** chez eux en France.

a Les gens doivent prendre conscience que ces jeunes sont nés en France.
b On doit donner aux jeunes les moyens de rester.
c Les parents ne doivent plus intervenir dans les décisions des filles.
d Ce sont les filles qui doivent aider leur mère à la maison.
e Les filles doivent absolument épouser un Maghrébin.

2 Avec les mots donnés ci-dessous, faites une phrase en mettant le premier verbe au conditionnel et le second au subjonctif.

Exemple : Les auteurs (vouloir) les gens (comprendre) la différence entre ces jeunes et leurs parents.
Réponse : Les auteurs **voudraient** que les gens **comprennent** la différence entre ces jeunes et leurs parents.

a Les parents de Béchir (aimer) leurs enfants (ne pas subir) d'humiliations comme eux.
b Les filles (souhaiter) leur père (admettre) leurs aspirations.
c Les mères (exiger) les filles (aider) aux tâches ménagères.
d Les parents (vouloir) les enfants (conserver) les traditions du pays.

'Ce qui' et 'ce que'

1 Remplissez les blancs en choisissant le pronom relatif **qui** ou **que** qui convient.

Exemple : Les enfants d'immigrés .... sont nés en France, veulent y rester.
Réponse : Les enfants d'immigrés **qui** sont nés en France, veulent y rester.

a Les mariages entre Maghrébins et Européens, ... favoriseraient pourtant l'insertion, ne sont pas autorisés.
b Le mari .... la jeune fille choisit doit être Maghrébin.
c On a raconté aux jeunes les humiliations .... les parents avaient subies.
d Leila, ... est la seule arabe de sa classe, apprend la comptabilité.

2 Remplissez les blancs en utilisant **ce qui** ou **ce que** comme il convient.

Exemple : Ces enfants sont .... le pays a fait d'eux.
Réponse : Ces enfants sont **ce que** le pays a fait d'eux.

a Ils trouvent normal .... pour leurs parents est choquant.
b Elles n'acceptent plus .... leurs mères ont accepté.
c Leila a compris tout .... ses deux cultures peuvent lui apporter.
d Ils veulent préserver .... la vie en France leur a appris.
e L'autorité parentale est .... semble le plus difficile à supporter.

Compétences orales et écrites . . . .

Développer un débat – le pour et le contre

1 Avec un(e) partenaire et en regardant la *Lecture 5* relevez les différences entre l'éducation des filles et celle des garçons des enfants d'immigrés maghrébins.

Exemple :
Il semble que l'autorité parentale pèse plus sur les filles que sur les garçons.

2 On trouve dans le texte l'affirmation suivante :
'Les filles réussissent mieux que les garçons... parce que leur besoin d'émancipation est plus fort.'

Expliquez cette affirmation en montrant :
a quelle est la situation actuelle des filles (D'abord on constate que…).
b les raisons du 'besoin d'émancipation' (en conséquence… ; donc…).
c le résultat sur leur travail (C'est pourquoi…).

3 Travaillez à deux. Faites chacun une liste :
A : de tout ce qui gêne la réussite des filles.
B : de tout ce qui les pousse à réussir.

Sous forme de débat, discutez-en avec votre partenaire.

Exemple :
A : Ce qui est dur pour elles c'est qu'elles ne sont pas assimilées à la jeunesse française.
B : Oui, mais ces filles ont l'avantage d'avoir deux cultures et d'arriver souvent à les concilier.

4 Écrivez sous forme d'article de journal, environ 150 mots pour comparer votre vie journalière de lycéen(ne)s, vos loisirs et vos sorties, avec la façon de vivre de vos parents quand ils avaient votre âge.

Aidez-vous des expressions suivantes :
Nous, nous…
Eux, ils…
Maintenant/aujourd'hui, les jeunes…
Alors qu'avant, …
A cette époque-là, …
Par rapport à…

3 Loi et société

Contenu

“ **Dans les journaux, à la télévision, à la radio, on parle de violence chaque jour. Il semble qu'elle occupe une place importante dans les médias, mais aussi dans la vie quotidienne.** Dans certains lycées, des forces de police ont été envoyées pour assurer la sécurité. Dans les banlieues aussi, la situation tendue entre les forces de l'ordre et les populations entraîne souvent des flambées de violence. On peut néanmoins s'interroger. Y a-t-il vraiment plus de violence maintenant qu'il y a un siècle ? Ou, à cause des médias, en parle-t-on davantage ?

Lecture 1

La violence en chiffres

Marc, en première dans un lycée privé

TEMOIGNAGE

"A la sortie des cours, il y a toujours des bandes de jeunes, qui viennent là uniquement pour provoquer les élèves. Le scénario est toujours le même. Au départ ils t'abordent pour te demander un clope et puis ils deviennent très vite agressifs. Si tu acceptes de leur donner une cigarette, ils cherchent l'embrouille et te disent par exemple : "Qu'est-ce que t'as à me regarder dans les yeux ?" "Qu'est-ce que t'as, toi ?". Et là, selon ta réaction, cela dégénère ou pas. S'ils sentent que tu as peur, ils deviennent tout de suite violents. "Moi, j'ai le chic pour me faire emmerder. Comme ils sentent que je suis vite déstabilisé, ils m'agressent souvent. Mais, cela ne va jamais très loin. Au pire, ils me donnent une gifle ou me poussent un peu. La seule fois où ça a été vraiment loin, c'était dans les vestiaires du lycée, après un match de basket. Une bande de huit mecs a commencé à me provoquer. Le premier s'est approché et est venu se frotter à moi en jouant à l'homosexuel. Je me suis esquivé, mais un deuxième a commencé à me donner des coups. J'ai pu m'enfuir jusqu'au gymnase où, heureusement, il y avait encore des profs. Mais, je ne leur ai rien dit..."

Coups et blessures à l'encontre des élèves

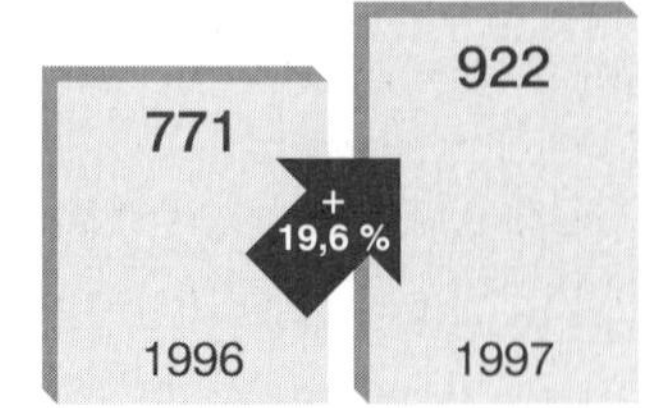

Coups et blessures à l'encontre du personnel de l'Éducation nationale

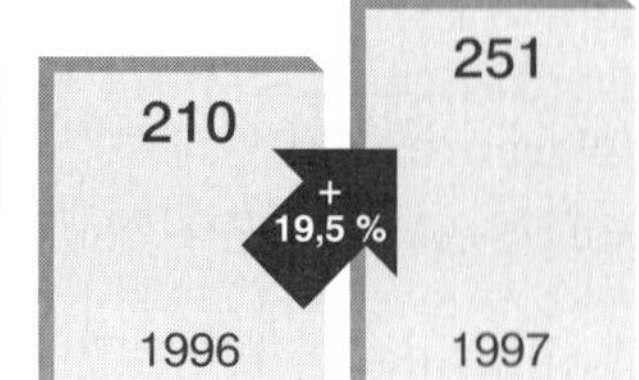

Dégradations de biens

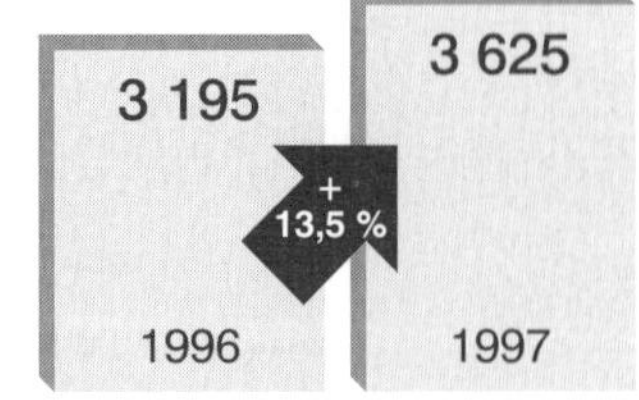

Victimes du racket scolaire

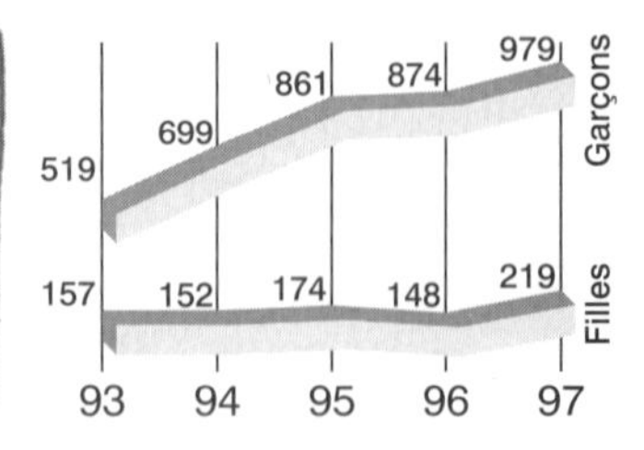

1 Essayez, sans regarder le tableau, de traduire en français les mots et expressions de la liste ci-dessous. Puis retrouvez dans le tableau, les expressions françaises qui correspondent à ces mots.

a assault and battery
b against
c the staff
d property

2 Dites si les phrases suivantes sont, selon le tableau, vraies ou fausses.

a Au lycée, un plus grand nombre d'élèves en 1997 a été victime de violences.
b Les enseignants reçoivent plus souvent des coups que leurs élèves.
c Il y a eu trois mille six cent vingt-cinq actes de dégradation de bâtiments ou de locaux publics en 1997.
d Les garçons sont plus souvent que les filles victimes d'extortion d'argent sous la menace ou le chantage.

3 Lisez le témoignage de Marc.

a Relevez dans le texte les expressions de français parlé, et remettez-les en français écrit.
b Écrivez quelques lignes pour expliquer les raisons pour lesquelles, selon vous, Marc ne dit rien aux professeurs.

4 En petits groupes, discutez de la violence au lycée.

a Est-ce que comme Marc, vous avez été victime ou témoin de violences ? Racontez.
b Avez-vous constaté une augmentation de violence au lycée ?
c Quel type de violence vous inquiète le plus ?
d Quelles solutions proposeriez-vous ?

Utilisez les expressions comme :

Pour moi, le plus grave c'est…
Ce qui est inquiétant, c'est…
On pourrait peut-être…
On devrait…
Il faudrait…

La violence à l'école

Quelques jeunes enseignants parlent franchement de leurs réactions à la violence à l'école.

1 Dites si les affirmations suivantes sont vraies ou fausses.

a Une majorité des élèves se comporte bien.
b Au cours de l'année la situation s'améliore.
c Aller au cours, pour l'enseignant, c'est engager une bataille.
d Ceux qui critiquent ne comprennent pas les difficultés rencontrées par l'enseignant.
e Le jeune enseignant a toute confiance dans les compétences de l'inspectrice.

2 Dans ce texte, deux des professeurs se posent les questions suivantes concernant la discipline de leurs élèves.

a Passifs ou suractifs, lequel est pire ?
b Quelques individus détériorent tout le groupe. Pourquoi le groupe les laisse-t-il faire ?

Consultez un(e) partenaire et essayez de répondre à ces questions, de votre point de vue à vous, élèves. Questionnez votre professeur à ce sujet et discutez-en avec lui/elle.

3 Pour chaque enseignant relevez une phrase qui vous semble exprimer son désespoir devant ces classes.

Exemple : André – "Je garde cette angoisse".
a Pierre
b Valérie
c Karine
d Philippe
e Anne
f Julie

Agression au cutter dans un train en gare de Lyon

Un agent de la SNCF a été gravement blessé d'un coup de cutter par un voyageur. Ce dernier serait un toxicomane bien connu des services de police. Selon les témoins, tout s'est passé très vite. L'agent SNCF s'est approché d'un voyageur, qui avait un comportement étrange, pour lui réclamer son titre de transport. Celui-ci lui a répondu en l'insultant qu'il n'en avait pas. Une dispute s'est engagée puis l'agent SNCF s'est éloigné pour verbaliser. C'est alors que le voyageur aurait sorti un cutter et se jetant sur l'agent SNCF l'aurait frappé de plusieurs coups. Trois voyageurs se sont alors précipités sur l'agresseur pour tenter de le maîtriser. Mais celui-ci s'est débattu furieusement et est parvenu à s'enfuir. La police serait toujours à sa recherche.

1 Quelles expressions utilisées dans le texte pouvez-vous remplacer par les mots ou expressions suivants ?

a un contrôleur
b la police
c les gens qui ont assisté à la scène
d son billet
e rédiger un procès-verbal

2 Remettez dans l'ordre du texte les phrases suivantes qui résument cette agression.

a Le voyageur s'est mis à insulter l'agent SNCF.
b Un des voyageurs n'avait pas de billet.
c Un agent SNCF est venu contrôler les billets des voyageurs.
d L'agent SNCF a décidé de verbaliser ce voyageur.
e Le voyageur s'est précipité sur lui et l'a frappé.
f L'incident s'est produit dans un train de banlieue.
g Trois passagers sont venus à l'aide de l'agent SNCF.
h Il est arrivé à s'enfuir.

3 Après avoir remis ces phrases dans l'ordre, rédigez un court rapport des faits, en utilisant les termes de liaison de la liste ci-dessous qui conviennent.

tout d'abord   mais   donc   alors   puis   c'est alors que
malgré cela

Exemple : L'agent SNCF a donc décidé de verbaliser ce voyageur.

Point-grammaire

Le passé des verbes pronominaux de sens réfléchi

voir page 142, § 55

Les verbes pronominaux de sens réfléchi utilisent l'auxiliaire **être** au passé composé.

Le participe passé s'accorde avec le sujet du verbe.

Tout s'**est** pass**é** très vite.
Everything happened very quickly.

Le contrôleur s'**est** approch**é**...
The inspector came up ...

Une dispute s'**est** engag**ée**...
An argument started ...

L'agent s'**est** éloign**é**.
The inspector went away.

Les voyageur**s** se **sont** précipité**s**...
The passengers hurried ...

Pratique de la grammaire

Le passé des verbes pronominaux de sens réfléchi

1 Un témoin qui était dans le train raconte ce qui s'est passé. Mettez les verbes entre parenthèses au passé composé.

Exemple : Voilà comment les faits (se passer).
Réponse : Voilà comment les faits se sont passés.

Voilà comment les faits (se passer). Hier, j'étais dans le train 401. Après environ 10 minutes, un individu très énervé (s'asseoir) en face de moi. Quand l'agent SNCF (s'approcher), cet homme (se lever) précipitamment et (se sauver) dans un autre compartiment. L'agent SNCF (se diriger) vers lui et lui a réclamé son billet. L'homme (s'énerver) et a insulté l'agent. Pendant une ou deux minutes, les deux hommes (se disputer). Puis tout à coup, l'homme a sorti un couteau et (se jeter) sur le malheureux agent SNCF. Une vieille dame (se mettre) à appeler au secours. Trois voyageurs (se précipiter) pour défendre l'agent. Mais, l'homme (se débattre) furieusement et (s'échapper).

2 Est-ce que vous avez eu déjà l'expérience de la violence à l'école ou dans la société ? Écrivez un compte-rendu de 150 à 200 mots pour raconter un incident (vrai ou imaginé). Écrivez au temps passé et essayez d'inclure les verbes suivants (ou d'autres verbes pronominaux de sens réfléchi).

se passer — se lever — se préparer — se mettre en route — se précipiter — se battre
s'énerver — se défendre — se sauver — s'éloigner

Lecture 3

Marseille : les dessous d'une bavure

Trois policiers marseillais ont été suspendus de leurs fonctions à la suite des brutalités infligées à un vagabond âgé de trente ans, Sid Ahmed Amiri, un Français d'origine marocaine. Les faits ont été établis au cours d'une minutieuse enquête de L'Inspection Générale de la Police Nationale (IGPN) qui a reconstitué le scénario avec d'autant plus de précision qu'un des trois fonctionnaires a été interpellé sur les lieux mêmes du forfait où il était venu récupérer la matraque qu'il avait oubliée sur place.

Son nom étant gravé sur le bâton, il n'a pu que reconnaître sa participation à la correction infligée à la victime qui souffre de contusions multiples et d'une fracture au nez. Recueilli par une seconde patrouille de police alors qu'il errait sur le bas côté de la route, Amiri a été transporté à l'hôpital. Six jours d'invalidité de travail lui ont été prescrits. La victime a décidé de déposer une plainte contre les trois policiers.

Coups de feu

Deux versions s'affrontent. Celle de la victime qui déclare ne pas comprendre pourquoi elle a été rouée de coups dans une carrière désaffectée ; et celle des trois policiers marseillais qui parlent de provocation et d'insultes.

Quoi qu'il en soit, le jeune homme a bel et bien été menotté et entraîné dans un lieu désert, à bord d'une voiture de police, puis il a reçu des coups de pied et de matraque avant d'être abandonné dans un conteneur.

Ahmed Amiri déclare, en outre, que les policiers ont tiré plusieurs coups de feu sur le conteneur afin de l'effrayer, et qu'ils lui ont dérobé une somme de deux mille francs.

Si le trio admet avoir frappé Amiri, en revanche, il nie avoir utilisé des armes et l'avoir dépouillé d'une quelconque somme d'argent.

"Ce qui s'est passé est inadmissible, a estimé le Préfet de police de Marseille. Des sanctions sévères ont été prises, conformément à la légalité républicaine. Cela dit, il faut savoir que les policiers sont sous pression et qu'ils sont souvent pris à partie par des délinquants. Cet acte isolé ne doit pas rejaillir sur la grande majorité des policiers marseillais qui, eux conservent leur sang-froid en toutes circonstances."

Réalisations

1 Retrouvez dans le texte les expressions qui correspondent aux définitions suivantes.

a Ils n'ont plus le droit de faire/d'exercer leur métier.
b Faire subir quelque chose de pénible à quelqu'un.
c Un crime important.
d Marcher sans but.
e S'opposer, être en contradiction.
f Donner des coups à quelqu'un d'une façon répétée.
g Utiliser un instrument en métal qui entoure les poignets pour empêcher un prisonnier d'utiliser ses mains.
h Voler quelque chose à quelqu'un.
i Enlever quelque chose à quelqu'un, lui prendre quelque chose qui lui appartient.
j S'adresser à quelqu'un en cherchant à provoquer une bagarre.

2 Retrouvez dans le texte les différents mots ou expressions qui sont utilisés pour désigner les mêmes choses ou les mêmes personnes.

Exemple : les policiers/les fonctionnaires/le trio

a Ahmed Amiri
b la matraque
c les brutalités
d dérober
e carrière désaffectée

3 Remplissez le tableau ci-dessous pour établir les détails de cette agression.

Personnes concernées	
Détails concernant la victime	
Lieu où se sont passés les faits	
Véhicule utilisé	
Actes de violences	
Armes/instruments utilisés	
Conséquences pour la victime	
Conséquences pour les agresseurs	

4 Traduisez en anglais les expressions suivantes (certaines se trouvent dans le texte) en vous servant d'un dictionnaire si nécessaire.

a les coups de feu
b donner des coups à quelqu'un
c donner des coups de pied
d donner des coups de matraque
e réussir du premier coup
f faire un mauvais coup
g un coup de tonnerre
h un coup de foudre

Point-grammaire

Le passé composé à la voix passive voir page 145, § 62

A la voix passive au passé, le verbe est composé de l'auxiliaire **être** + *participe passé.* C'est l'auxiliaire qui indique à quel temps est le verbe.

Trois policiers **ont été suspendus**.
Three policemen ***have been suspended****.*

Un fonctionnaire **a été interpellé**...
One civil servant ***has been questioned*** ...

Amiri **a été transporté**...
Amiri ***was taken*** *to ...*

Comparez avec la voix active :
Le fonctionnaire ***a interpellé*** un vagabond.
The civil servant ***questioned*** *a vagrant.*

Amiri **a transporté** son ami à l'hôpital.
Amiri ***took*** *his friend to hospital.*

Pratique de la grammaire

Le passé composé à la voix passive

1 Recherchez dans la *Lecture 3* tous les exemples de verbes au passé composé de la voix passive, en plus de ceux qui sont cités ci-dessus. Le participe passé **été** vous aidera à les reconnaître.

2 Mettez tous ces exemples de verbes au passé composé de la voix passive de ce texte à la forme active, en respectant le sens du texte.

Exemple :
Les trois policiers **ont été suspendus** de leurs fonctions par l'Inspection Générale de la Police.
L'Inspection Générale de la Police Nationale **a suspendu** les trois policiers de leurs fonctions.

3 Mettez les phrases suivantes d'abord à la forme passive, puis au passé composé.

Exemple :
Les policiers **utilisent** des armes pour faire peur à la victime.
Des armes **sont utilisées par** les policiers pour faire peur à la victime.
Des armes **ont été utilisées par** les policiers pour faire peur à la victime.

a La victime dépose une plainte contre les trois policiers.
b Les policiers dérobent une somme de deux mille francs.
c Les délinquants prennent à partie les forces de l'ordre.
d L'IGPN reconstitue le scénario de l'agression très précisément.
e Les policiers tirent plusieurs coups de feu sur le conteneur.

Entretien avec le Commissaire Perrier (i)

Le Commissaire Perrier est responsable d'une section de Seine-Saint-Denis où la violence est à l'ordre du jour.

1 Remplissez avec le mot approprié les blancs dans cette partie de la transcription.

Chaque jour les policiers .... pour essayer de .... la vague de violence qui .... certaines cités. Vandalisme, ..., attaques à main armée, règlements de ...., trafic de drogues. Ce soir une interview avec un policier qui sait de quoi il s'agit. Vincent Perrier, ... de la police .... de Seine-Saint-Denis, voulez-vous me donner des exemples d'.......... typiques qui ont lieu dans la vie normale d'un policier de votre section ?

2 Complétez le tableau suivant avec les chiffres manquants.

Date de l'enquête	
Heure du commencement de l'opération	
Nombre de policiers participant à l'enquête	
Age du gamin blessé	
Étage où habitait la famille effrayée	

3 Relevez trois détails (Où cela s'est-il passé ? Que s'est-il passé ? Qui était l'agresseur ? Les réactions de la victime ?) concernant les agressions commises contre :

a le garçon de 11 ans,
b la mère algérienne.

Lecture 4

La grande lassitude des flics de banlieue

Entre les jeunes et les policiers, on se regardait de travers. On est ensuite passé aux insultes. Maintenant, de plus en plus souvent, on échange des coups. Jusqu'à ce film, "La Haine", qui reste en travers de la gorge de nombreux flics...

Les hommes politiques multiplient les petites phrases sur la fracture sociale. Les policiers, eux, sont aux premières loges. Ils ne descendent pas dans les cités HLM une fois l'an pour montrer qu'ils s'en occupent. Ils s'y frottent tous les jours. Ou, plutôt, ils tentent de le faire, car les relations qu'ils entretiennent avec les quartiers réputés difficiles semblent de plus en plus aléatoires.

Cela ne date pas d'aujourd'hui. Les pompiers et les flics en uniforme ne sont plus depuis longtemps en odeur de sainteté dans ces coins de banlieue. Ils ont pris au fil des étés l'habitude des canardages et des véhicules endommagés. La routine. Mais il y a plus grave. Il y a cette lassitude mêlée de révolte qui se répand parmi les policiers en civil, ceux-là mêmes qui sont censés faire respecter le code pénal. A les entendre, la notion de cités 'interdites' ne relève pas seulement du fantasme : ils s'y aventurent de moins en moins, se contentant de les observer de très loin, à la jumelle ou au télé-objectif. Parfois par peur, le plus souvent pour éviter l'affrontement et des inévitables insultes.

Ce n'est plus de maintien de l'ordre qu'il s'agit, mais de territoires échappant au droit. Et ceux qui nous le rapportent ne sont pas tous des policiers aigris charmés par les thèses du Front national.

C'est avec les stupéfiants qu'ils ont le plus de souci. Comment monter un dossier quand on ne peut plus disposer un véhicule de planque dans une cité sans le voir aussitôt repéré ? Les obstacles se multiplient. La plupart des gardiens d'immeuble refusent maintenant de mettre un appartement vide à la disposition des enquêteurs, sous peine d'encourir les foudres des jeunes du quartier. Les principaux revendeurs de drogue ne communiquent plus qu'avec des téléphones portables. La moindre intervention tourne au pugilat musclé, et les perquisitions nécessitent désormais la mobilisation de dizaines de policiers. Quant aux indicateurs, dont se nourrissent traditionnellement les policiers, ils ont un mal fou à en trouver à l'intérieur des cités.

Sur leur terrain, les policiers, eux, se sentent de plus en plus seuls. A peine soutenus par les magistrats, qu'ils soupçonnent plus que jamais de laxisme, ou, pis, d'indifférence. Ignorés de leur hiérarchie, qui se contente, par circulaire, d'inviter ses troupes à veiller au bon entretien des véhicules de service... "Nous sommes comme les soldats de la paix, frileux et complètement paralysés", se plaint un officier de police judiciaire.

1 Vous trouverez dans le texte les mots et expressions suivantes.
Avant de lire le texte, lisez d'abord les explications.

Vocabulaire

Au fil des étés : au cours des étés.

Canardage : acte de quelqu'un qui fait feu sur les gens en étant à couvert.

Véhicules endommagés : véhicules qui ont subi des dégâts, qui ont été abîmés.

Être censé faire quelque chose : être supposé faire quelque chose.

Les affrontements : les attaques directes, les agressions.

Le maintien de l'ordre : le fait de respecter l'ordre.

Un policier aigri : un policier qui est devenu dur, à la suite des déceptions dans son travail.

Véhicule de planque : voiture ou camionnette utilisée pour se cacher et observer.

Un pugilat musclé : un rude combat de coups de poings.

Un indicateur : une personne qui renseigne la police.

2 Voici ci-dessous une liste d'expressions françaises familières, relevées dans le texte.

a se regarder de travers
b rester en travers de la gorge
c être aux premières loges
d se frotter tous les jours à quelque chose (Dicton : Qui s'y frotte s'y pique)
e ne pas être en odeur de sainteté
f encourir les foudres de quelqu'un
g avoir un mal fou à

Essayez de faire correspondre chacune de ces expressions avec l'explication donnée ci-dessous qui lui convient.

Exemple : a + ii

i Attirer sur soi la colère et la vengeance de quelqu'un.
ii Éprouver des sentiments d'animosité vis-à-vis de quelqu'un.
iii Avoir beaucoup de difficultés à faire quelque chose.
iv Ne pas arriver à avaler quelque chose. Par extension, avoir des difficultés à accepter quelque chose ; ne pas pardonner, ne pas pouvoir oublier quelque chose qu'on vous a fait ou dit.
v Être en rapport constant avec quelque chose, confronter quotidiennement une situation donnée.
vi Ne pas être bien accepté, bien accueilli par des gens, ne pas être aimé. (Dans le contexte, il s'agit d'un euphémisme, car l'expression signifie ici : être détesté, haï.)
vii Au théâtre, avoir les meilleures places, celles qui permettent de voir le mieux, et de bien suivre l'action. Par extension, être très bien placé pour suivre de près des événements.

3 Dites si les phrases suivantes sont vraies ou fausses.

a Les hommes politiques vont quotidiennement se frotter à la vie en banlieue.
b La présence de gens qui portent un uniforme rassure les habitants des banlieues.
c La police ne peut plus pénétrer dans certaines banlieues.
d Ce sont les gardiens d'immeubles qui aident la police à arrêter les trafiquants.
e Dans les banlieues, tout le monde refuse maintenant d'aider la police.
f Les flics de banlieue n'ont plus le moral.

4 Relevez en deux colonnes tous les termes qui indiquent d'une part, les violences dont les policiers sont victimes, et d'autre part les sentiments de lassitude qu'ils ressentent.

Les violences	**La lassitude**
Les canardages	Ils ne s'aventurent pas dans les cités
Les voitures endommagées	

Entretien avec le Commissaire Perrier (ii)

Le commissaire raconte encore des incidents qui expliquent la peur des gens qui vivent dans un quartier violent.

1 Répondez aux questions suivantes.

a Qu'est-ce qu'on dit au sujet du locataire de l'appartement à côté ?
b Est-ce qu'il est prêt à ouvrir sa porte ?
c Pourquoi est-ce qu'on a dû appeler un serrurier ?
d Comment a-t-on trouvé le locataire ?
e Pourquoi a-t-on tout de suite mis le locataire hors de cause ?

2 Résumez tout ce que vous avez entendu au sujet de la vieille femme qui a été agressée.

Exemple :
Il s'agit d'une femme de 70 ans qui ....

3 Indiquez l'ordre dans lequel on mentionne ces idées dans cette partie de l'entretien.

a La situation est dangereuse.
b La vieille dame est terrorisée.
c Le locataire ne pouvait pas être le coupable.
d On vient lui apporter ses provisions chaque matin.
e Il a fallu ouvrir sa porte avec une perceuse électrique.
f La police n'a retrouvé ni arme ni coupable.
g Elle ne veut pas ouvrir sa porte à la police.
h Il y a de plus en plus d'actes de vandalisme.

Lecture 5

Banlieues : LA LOI de LA RUE

Omar Guendouz est né en Seine-Saint-Denis, il y a vingt-huit ans, dans une famille de onze enfants – "Une équipe de football !", dit-il en riant. Son père, carreleur, est originaire de Tlemcen, en Algérie ; sa mère, cuisinière bénévole. C'est le "mouton noir" de la famille. A 11 ans, il est placé dans l'I.r.m.p. (Institut de rééducation médico-psychologique) de Rivehaute, au Pays basque. "Je mettais le 'bordel' dans l'école." La scolarité paisible n'est pas son fort. Il préfère une autre école : celle de la rue, qui vaut sûrement la première. Et il devient ce que dans les banlieues on appelle un 'grand frère', l'un de ceux qui veulent éviter aux petits d'emprunter le même chemin qu'eux. "Apprendre à apprendre, c'est ce qu'ils doivent faire !"

Cela lui réussit si bien qu'il devient, en 1991, conseiller technique, chargé du périscolaire. "Un jour, j'ai voulu cesser de faire partie de ceux qui 'niquent le temps', de ceux qui 'tiennent le mur'. L'expression vient d'Algérie. C'est ainsi qu'on appelle, là-bas, les chômeurs, parce qu'ils sont appuyés contre les murs. Ces jeunes des banlieues attendent. Ils rêvent. "Voir la mer et mettre mes fesses sous le *sun*", disent-ils. Il y a les 'crevards', ceux qui ne quitteront jamais la cité. Ils portent la casquette Malcolm X mais ne prennent aucun risque. Il y a les 'lascars', les débrouillards. Il y a ceux à qui on 'élève les statues', les riches, ceux qui trafiquent, la drogue ou tout ce qui 'tombe des camions', ceux qui se baladent en Mercedes, en BMW ou en Golf GTI. L'honneur, c'est d'être riche et de nourrir sa famille. Mais l'argent de ceux qui n'appartiennent pas au monde des cités – la vision de cet argent provoque la haine. "On s'est fait avoir. Deuil pour deuil, sang pour sang !"

Il n'y a rien de surprenant à ce que des petits se comportent ainsi. Leur mythologie, c'est la télévision. Leurs héros, ce sont les bandits que poursuivent Kojak, Starsky et Hutch. Posséder un revolver devient un signe de puissance. Mais il y a un étrange contraste entre la liberté de ces enfants perdus et les règles traditionnelles qui régissent leurs familles. Même les histoires d'amour sont soumises à un ensemble de codes d'une précision qui n'envierait rien aux subtilités de la carte du Tendre. Les rendez-vous et les lieux de rendez-vous sont déterminés par la tenue, la couleur de la casquette, l'air qu'on siffle à tel instant. On vit dans les cités comme dans la jungle. C'est à la fois la loi du plus fort et le déploiement de toutes les ruses. La 'chouf', le guet, est assuré par les 'meufs'. Les filles se tiennent tranquilles dans un coin et soudain on les entend piailler, rire, pouffer. Cela signifie que les 'keufs', les flics, déboulent. J'ai vécu tout cela et puis je suis devenu un grand frère. J'ai dit aux petits : "Il faut laisser le mur, même si tu vas devant un bouclier !" On leur apprenait à ne plus voler, on les responsabilisait. C'est un travail extrêmement difficile de convaincre qu'il vaut mieux réparer une voiture que d'en voler une, de payer son ticket de métro, de ne pas 'vendre du vent', du shit, de l'herbe, de la drogue. De convaincre qu'on peut s'en sortir.

1 Complétez le résumé suivant en utilisant les mots donnés en fin de texte.

Omar Guendouz est sorti d'une famille .... Il a mal vécu sa ...., et a été placé à 11 ans dans l'I.r.m.p. Les idées conventionnelles sur l'éducation ne lui conviennent pas, et il préfère éviter aux jeunes les erreurs qu'il a commises lui-même. Dans ce domaine il a certainement connu un .... Il ne voulait pas faire partie des chômeurs qui ne font rien à longueur de journée. Coiffés d'une casquette .... de leurs affinités, ils .... dans les rues, voués à l'échec éternel des banlieues. On fait honneur à ceux qui ont fait fortune en trafiquant de la drogue ou des objets .... Ils en veulent à ceux qui sont .... Malgré ce comportement antisocial, la société des jeunes .... connaît un code quasi-traditionnel. Ce sont surtout les .... qui guettent l'arrivée de la police. Omar a connu tout cela. Il a eu du mal à .... ces jeunes, à les convaincre qu'il est possible de .... de tout cela.

riches	volés	nombreuse	succès	s'échapper	traînent	scolarité
responsabiliser	banlieusards	filles	symbolique			

2 Mariez les termes argotiques à gauche aux termes conventionnels à droite.

a	mettre le bordel	**i**	être volé
b	niquer le temps	**ii**	le guet
c	les crevards	**iii**	trafiquer de la drogue
d	les lascars	**iv**	les filles
e	tomber d'un camion	**v**	mettre le désordre
f	la chouf	**vi**	les policiers
g	les meufs	**vii**	perdre son temps
h	les keufs	**viii**	les types louches
i	vendre du vent	**ix**	les damnés

3 Pour chacune des catégories **a** – **c** ci-dessous, faites une liste des exemples cités dans le texte.

Exemple :
Différentes activités des filles
– se tenir tranquille dans un coin
– guetter l'arrivée de la police
– piailler
– rire
– pouffer

a Différents types de banlieusards
b Différentes activités criminelles
c Les comportements amoureux

4 Qu'est-ce que vous trouvez de choquant dans ce texte ? Le comportement de ces jeunes vous paraît-il extraordinaire ? Comment pourrait-on faire pour que ces jeunes se sortent de cette situation terrible ? Comparez vos impressions à celles d'un(e) partenaire. Utilisez les expressions suivantes pour exprimer vos idées.

Notez que certaines de ces expressions sont suivies du subjonctif.

Exemples :
Ce qui me choque, c'est que ces jeunes soient déjà des bandits.
J'ai du mal à comprendre que la police ne fasse rien.

Ce qui me choque,… (+ *subjonctif*)
Je trouve difficilement croyable que… (+ *subjonctif*)
Pour moi, l'étonnant, c'est que… (+ *subjonctif*)
Il n'y a rien de surprenant à ce que… (+ *subjonctif*)
J'ai du mal à comprendre que… (+ *subjonctif*)
Je pense que le comportement de ces jeunes est…
Je n'arrive pas à comprendre pourquoi…
Ce genre de comportement s'explique facilement/difficilement
Pour qu'ils s'en sortent, il faudra que l'on… (+ *subjonctif*)
C'est à nous de…
Il en impose au gouvernement de…

Point-grammaire

Les noms en apposition voir page 125, § 13

L'apposition est une façon rapide de qualifier un nom sans avoir recours à des explications lourdes.

Son père, **carreleur**, est originaire de Tlemcen, en Algérie.
(Une façon rapide de dire : Son père **qui est carreleur**.)
*His father, **a tiler**, comes from Tlemcen in Algeria.*

Il y a les 'lascars', **les débrouillards**.
(Une façon rapide de dire : Il y a les lascars, **c'est-à-dire, les débrouillards**.)
*There are the rough types, **the street-wise kids.***

Et il devient ce qu'on appelle un 'grand frère', l'un de ceux qui veulent éviter aux petits d'emprunter le même chemin qu'eux.
(Une façon rapide de dire : Un grand frère, **ce qui veut dire** quelqu'un qui veut éviter…)
And he's become what they call a 'big brother', one of those who want prevent the youngsters from going down the same road as they did.

Style indirect et présent narratif voir page 137, § 42

Si un auteur veut donner à son récit une vivacité particulière, il peut utiliser le présent du verbe au lieu du passé.

En style direct et au passé :
La scolarité paisible n'**était** pas mon fort. Je **préférais** une autre école, celle de la rue. Et je **suis devenu** ce qu'on appelle un 'grand frère'.
Peacefully following a school routine was not what I did best. I preferred another sort of school, street school. And I became what they call a 'big brother'.

En style indirect et au présent narratif :
La scolarité paisible n'**est** pas son fort. Il **préfère** une autre école, celle de la rue. Et il **devient** ce qu'on appelle un 'grand frère'.
Peacefully following a school routine was not what he did best. He preferred another sort of school, street school. And he became what they call a 'big brother'.

Pratique de la grammaire . . . .

Les noms en apposition

1 Complétez les phrases suivantes en y insérant le nom ou l'expression qui convient. Utilisez les noms et les expressions **i** – **vi** qui se trouvent en bas.

a Omar, ..., a fini par devenir un grand frère.
b Son père, ..., a connu les joies d'une famille nombreuse.
c Philippe, ..., cherche un poste depuis trois ans.
d Kojak, ..., est le héros de ces jeunes gens.
e Il y a aussi ceux qui savent s'en sortir, ...
f Philippe Ducros, ..., espère ouvrir son nouvel établissement dans ce quartier dans les semaines qui viennent.

i chahuteur en classe
ii restaurateur
iii les débrouillards
iv détective américain
v originaire d'Algérie
vi chômeur de longue durée

2 Écrivez cinq phrases sur des personnes bien connues, dans lesquelles vous utiliserez des noms ou des expressions en apposition.

Exemple :
Sharon Stone, **comédienne américaine**, s'est vu décerner un Oscar pour son rôle dans "Le Petit Chaperon Rouge".

Style indirect et présent narratif

1 Transformez le passage suivant en style indirect, et utilisez le présent narratif.

Exemple : J'avais vingt-six ans
Il a vingt-six ans

J'avais vingt-six ans et j'habitais à Lyon. Mes parents avaient divorcé quand j'étais encore tout petit, et j'avais donc poussé à peu près seul. A ma sortie du lycée, j'étais entré au service civil, un organisme qui, pendant des années, donnait du travail aux jeunes chômeurs. Puis, je m'étais installé à Paris, où j'avais exercé plusieurs petits boulots. Mais je n'avais pas vraiment de métier lorsque débutèrent les événements de mai '68.

2 Imaginez une partie de votre biographie, vue par votre biographe. Écrivez un paragraphe décrivant un événement important en style indirect et au présent narratif.

Exemple :
Helen **travaille** dur au collège. On lui **décerne** des prix, elle **est** reçue à tous ces examens. De beaux horizons **s'ouvrent** devant elle. Pour comble de joie, elle **rencontre**, le 17 septembre 1997, ce jeune homme qui **va** exercer sur elle l'influence la plus profonde de sa vie.

Compétences orales et écrites ....

Variations de style : narratif ou dialogue

1 Relisez la *Lecture 2* et reconstituez le dialogue qui s'est produit dans le train.

Exemple :
Agent : Pardon, monsieur, vous avez votre billet, s'il vous plaît ?
Voyageur : Ben, non.
Agent : Mais il faut avoir un billet pour circuler en train, monsieur.
Voyageur : Mais je n'en ai pas ! Tu m'entends pas, toi, hein ? Espèce de connard !

2 Vous interviewez un témoin de cet incident, pour lui demander ce qui s'est passé. Écrivez la conversation entre vous et ce témoin.

Exemple :
Vous : Pouvez-vous me dire exactement ce qui s'est passé ?
Témoin : Eh bien, oui. Moi, j'étais assis juste en face du monsieur. Alors, j'étais en train de lire mon journal, quand le contrôleur est entré et a demandé à voir le billet du monsieur. Oh là là !

3 Lisez la conversation suivante, qui a lieu dans un autobus à Paris, entre une femme et un voyageur nouvellement monté dans le bus. Ensuite, écrivez deux comptes-rendus, **a** en style indirect au passé, et **b** en style indirect au présent narratif.

Exemples :
a Un monsieur est monté dans le bus et a cherché une place.
b Un monsieur monte dans le bus et cherche une place.

Voyageur : Pardon, madame, cette place est libre ?
Dame : Ah, non, monsieur.
Voyageur : Ces paquets sont à vous ?
Dame : Mais oui, ils sont à moi. Et alors ?
Voyageur : Vous pourriez peut-être les déplacer un peu ? Vous pourriez les mettre par terre.
Dame : Et qu'est-ce que je vais en faire, moi ? Y a vraiment pas assez de place.
Voyageur : Mais, madame, je veux m'asseoir et vous, vous prenez deux places.
Dame : Mais allez ailleurs ! Y a d'autres places !
Voyageur : Mais non. C'est comble, hein ? Vous descendez où, madame ?
Dame : A Châtelet. Pourquoi ?
Voyageur : Parce que vous, vous descendez à Châtelet, mais vos paquets, eux, descendent ici !

Pour la première version (**a**), utilisez les expressions suivantes :

Il lui a demandé de... Elle a refusé de... Il lui a proposé de... Elle lui a répondu... Il lui a dit que... Elle lui a retorqué... Il a été... Elle, au contraire, a été... Il a fini par... (+ *l'infinitif*)

Pour la seconde version (**b**), utilisez les mêmes expressions au présent.

4 On peut écrire un compte-rendu de plusieurs façons, dont les suivantes :

- On commence par un résumé des faits avant de donner les détails. C'est ainsi que se déroulent en général les faits divers dans les journaux (voir la *Lecture 2*).
- On met tout dans l'ordre chronologique.
- On explique les causes et puis les effets.

Relisez la *Lecture 3* et essayez d'en réécrire les deux premiers paragraphes dans l'ordre chronologique.

4 Éducation

Contenu

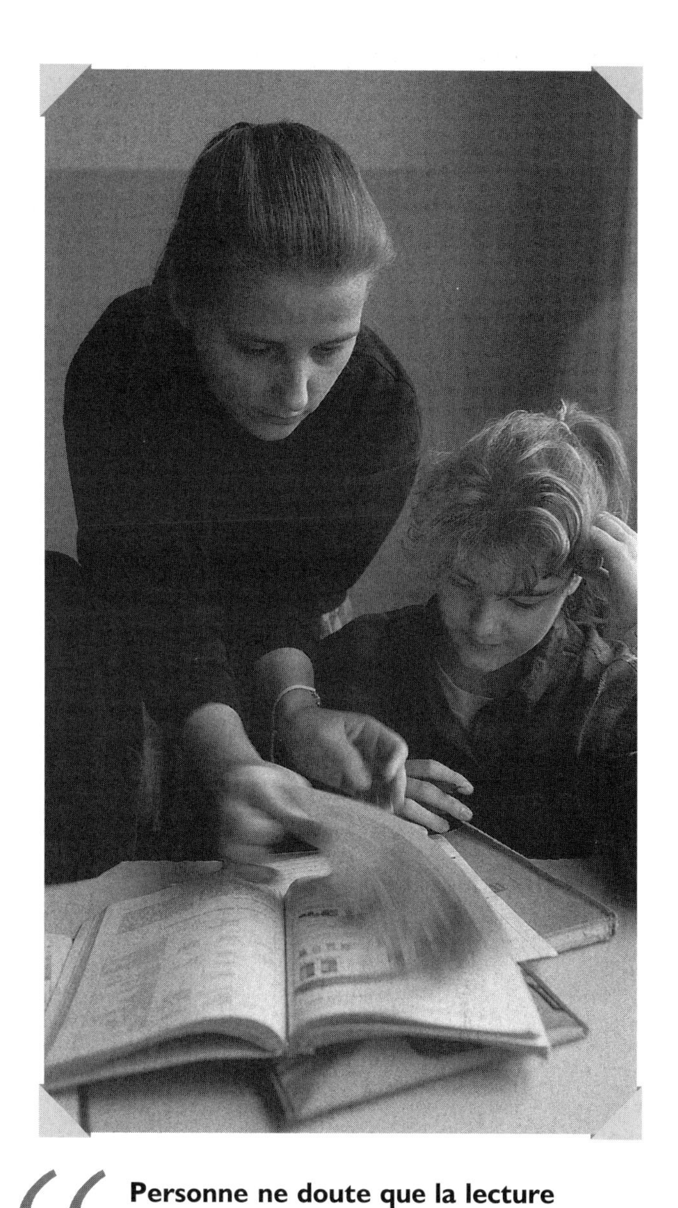

“ **Personne ne doute que la lecture est à la base de toute éducation.** Mais ce fait établi n'empêche pas de nombreuses interrogations. Quel est le rôle de l'école dans la société d'aujourd'hui et dans celle de l'avenir ? Préparer l'étudiant à un métier ? Lui inculquer des connaissances ? Développer sa personnalité ? Et si cet élève est en échec, devrait-il redoubler ? Travaillerait-il mieux dans un internat qui le sépare des distractions de la famille et de la société ? Pour le moment, on se pose beaucoup de questions sur l'éducation et on trouve, il semble, assez peu de réponses. ”

Lecture 1

Lire, c'est comprendre

Apprendre à lire est une étape importante dans le primaire. Qu'est-ce qu'apprendre à lire ? Apprendre à lire, c'est apprendre à construire des significations sur tous les types de messages que proposent la vie scolaire, la vie familiale, les activités professionnelles, les devoirs du citoyen. Lire, c'est comprendre. Apprendre à lire veut dire apprendre à comprendre. C'est construire du sens par rapport à l'écrit. Lire, c'est aussi mener à bien un projet. On lit toujours avec une intention bien précise, pour agir, pour se distraire, pour s'informer, pour apprendre. C'est donc d'abord une activité fonctionnelle qui a un sens et qui donne un pouvoir pour communiquer.

❶ Complétez le tableau ci-dessous à l'aide d'un dictionnaire.

Infinitif	Substantif	Agent	Adjectif
apprendre	*apprentissage*	*apprenti*	
	lecture		lisible
		constructeur	construisible
comprendre	compréhension		
agir			actif
	distraction		
informer		informateur	
		communicateur	

❷ Quand on lit, il y a quatre intentions possibles, selon l'auteur de ce passage. Pour chacune de ces intentions, faites une liste des sources de matériel de lecture.

Pour agir	Pour se distraire	Pour s'informer	Pour apprendre
un manuel	*un roman d'instruction*	*un journal*	*un manuel de classe*

Maintenant, discutez avec un(e) partenaire et donnez d'autres exemples.

Lecture 2

LE SECONDAIRE DOIT PRÉPARER A UN MÉTIER

La priorité à la professionnalisation est surtout forte chez les parents commerçants ou artisans.

La mission fondamentale de l'école est-elle plutôt de développer la personnalité de l'enfant ou de le préparer à un métier ? Au moment où, sous l'emprise des difficultés économiques, le thème de la professionnalisation des études prend de plus en plus d'importance, il est intéressant de voir la sensibilité des Français à ce sujet. Ils paraissent à première vue assez partagés, puisque 51 % penchent pour la première réponse et 46 % pour la seconde. Mais les attentes des parents à l'égard de l'école sont fortement déterminées par leur situation sociale. La priorité à la professionnalisation est surtout forte chez les artisans et commerçants (61 %) et les ouvriers (53 %), tandis que les cadres supérieurs (à 67 %) et les professions intermédiaires (63 %) attachent plus d'importance à l'épanouissement de la personnalité de l'enfant.

Mais les réponses varient surtout en fonction des niveaux d'enseignement. Pour les parents, l'école élémentaire a d'abord une fonction d'éveil de la personnalité (65 % pour les parents d'école maternelle et 54 % pour ceux du primaire), alors que, dans le secondaire, c'est la préparation à la vie professionnelle qui l'emporte (57 % des parents de collégiens et 55 % de ceux de lycéens). Curieusement, le développement de la personnalité repasse en tête chez les parents d'étudiants (52 %). Mais peut-être cela tient-il à l'origine sociale, majoritairement aisée, de cette catégorie de populations.

A votre avis, le rôle de l'école doit être d'abord...

De développer la personnalité de l'enfant et contribuer à son épanouissement	De préparer l'enfant à un métier	
65	31	Maternelle
54	43	Primaire
41	57	Collège
43	55	Lycée
52	42	Enseignement supérieur

1 Indiquez dans le tableau le nom de la profession et le pourcentage de personnes qui partagent les deux opinions ci-dessous.

La mission fondamentale de l'école est de développer la personnalité de l'élève	La mission fondamentale de l'école est de préparer l'élève à un métier
%	%
%	%
%	%
	%

2 Répondez aux questions en français.

a Le thème de la professionnalisation de l'éducation "prend de plus en plus d'importance". Pourquoi ?

b Comment expliquez-vous les différences d'opinion entre les ouvriers et les cadres supérieurs ?

c Trouvez-vous "curieux" que le développement de la personnalité soit la priorité pour les parents d'étudiants ?
Dites :
i Quelle est la raison donnée par l'auteur ;
ii Y a-t-il d'autres raisons, selon vous ?

3 Quelle est votre opinion sur la mission de l'école ? Développez vos idées à l'aide du tableau suivant. Répondez 'oui' ou 'non' pour chaque catégorie, et donnez deux ou trois raisons pour chaque réponse.

	Préparer l'élève à un métier	Développer la personnalité de l'élève
Dans l'école primaire	Non, parce que… *L'enfant est trop jeune pour penser à un métier. L'enfant ne sait rien de la vie adulte.*	Oui, parce que… *L'enfant est très jeune et il faut l'aider à se développer. L'enfant a besoin de s'épanouir.*
Dans l'école secondaire	Oui, parce que… Non, parce que…	Oui, parce que… Non, parce que…
Dans l'éducation supérieure	Oui, parce que… Non, parce que…	Oui, parce que… Non, parce que…

Un programme chargé : la vie du lycéen

Des lycéens parlent de leurs horaires au lycée et critiquent le programme trop chargé et le manque de temps libre.

Samuel

1 En écoutant la première partie de cette interview (les deux premières réponses), remplissez les blancs avec les détails donnés par Samuel sur son emploi du temps.

Nombre d'heures de cours par semaine :
Horaires du mardi et du jeudi :
Le soir en rentrant :
Les matières étudiées :

2 Relevez au cours de l'interview :

a les expressions qui critiquent le programme scolaire de terminale ;
b les expressions positives utilisées pour les matières artistiques.

Exemples :
a Les heures de cours sont trop lourdes.

Cécile

3 Samuel et Cécile parlent des activités sportives et artistiques qu'ils voudraient/pourraient pratiquer d'une part, et d'autre part de ce qui les empêche de les pratiquer autant qu'ils le voudraient. Relevez-les en deux colonnes.

Exemple :

Les activités qu'ils aiment	**Ce qui les empêche de les pratiquer**
On a la gymnastique obligatoire	Mais deux heures par semaine ça fait très peu.
On a la posssibilité de…	Mais…

4 En réécoutant la première réponse de Cécile, complétez la transcription de cette réponse en terminant les phrases commencées ci-dessous.

a Moi, aussi, je trouve que le système français .... mais encore moins ....
b On a la possibilité ...., mais cela n'apporte aucun point au baccalauréat.
c Ou il y a aussi la possibilité .... Mais ce n'est pas une épreuve de quatre heures au baccalauréat.
d C'est une étude sur toute l'année et .... et on explique pourquoi on a fait telle ou telle oeuvre, ...
e C'est bien, mais très peu d'élèves .... à cause des heures de cours trop nombreuses.

Le rôle de l'école

Le rôle de l'école est-il de donner aux jeunes un emploi plus tard ? Ce qui est certain, c'est que l'orientation joue un rôle important pour l'élève qui est en dernière année de collège.

1 En écoutant l'interview, prenez des notes pour pouvoir répondre aux questions ci-dessous.

a Que fait-on à l'école pour préparer l'orientation des élèves :
– en première année ?
– ensuite ?
– en dernière année ?

b Qui sont les personnes responsables, dans les écoles, de l'orientation ?

c Pour quelle raison cette enseignante pense-t-elle que l'école ne sert pas uniquement à préparer à un métier ? Quels sont, selon elle, les autres rôles de l'école ?

2 Les phrases suivantes sont inexactes. Corrigez-les avec la phrase utilisée dans l'interview par le professeur.

Exemple : Pour un élève… qui a 15 ans, il est encore trop tôt pour parler d'orientation.
Correction : Pour un élève… qui a 15 ans, l'orientation a une part importante.

a On les fait réfléchir sur le métier qu'ils voudront exercer plus tard.
b On leur fait rencontrer des stagiaires.
c Il faut les aider. C'est un groupe de parents qui s'en occupe.
d A 15 ans, il faut absolument choisir un métier.
e Les élèves qui vont vers un lycée professionnel savent exactement ce qu'ils veulent faire.
f C'est vrai qu'il y a souvent un lien direct entre l'école et le monde du travail.

3 Avec un(e) partenaire. L'un joue le rôle de conseiller(ère) d'orientation. L'autre, celui de l'élève.

a Posez à votre partenaire des questions sur le type d'emploi qu'il/elle aimerait avoir plus tard (Travail en équipe ? Seul(e) ? Dans un bureau ? Chez soi ? Régularité des horaires ? Responsabilités ? etc.)
b Proposez-lui des emplois très différents, tels que artisan, enseignant, médecin, et demandez-lui si cela lui conviendrait. Discutez.

Utilisez des expressions comme :

Est-ce que cela vous plairait de… ?
Est-ce que vous préféreriez plutôt faire… ?
Que pensez-vous du métier de… ?
Êtes-vous quelqu'un qui aime… ?

Lecture 3

Tony, récidiviste :
"J'aurais dû redoubler le CP"

"J'ai souvent redoublé", soupire Tony. A dix-huit ans, il est le doyen de sa classe de seconde. Extérieurement, cela ne se voit pas trop, car sa silhouette juvénile fait illusion. Il est parfois en butte aux plaisanteries : "L'autre jour, on parlait de poursuite d'études jusqu'à trente ans ; tous les regards ont convergé vers moi."

Il a d'abord redoublé le CM2, puis la cinquième et, maintenant, la seconde. "Trop tard !", lance-t-il : "J'ai toujours eu des difficultés en français ; c'était ma bête noire, et ça l'est toujours. J'aurais dû redoubler le CP." Il ne l'a pas fait parce que ses parents s'y sont opposés : "par amour-propre sans doute". En CM2, il a redoublé mais les jeux étaient déjà faits : "Mon niveau était bien trop faible. Mes parents me reprochaient de ne pas travailler. Or, je ne travaille que lorsque je comprends bien", explique-t-il. Son second CM2 a été un peu meilleur que le premier, mais il traîne toujours des lacunes en français. " En sixième, ça a été de nouveau la catastrophe ; mes parents ont refusé le redoublement et j'ai remis ça en cinquième", poursuit Tony. Le redoublement de cinquième ne lui a rien apporté : "Je n'ai pas vu de différence avec l'année précédente." A la fin de l'année, sa mère lui évite de justesse le passage en quatrième technologique : "Je voulais être géographe-cartographe, alors elle s'est battue pour que je reste dans le cursus général."

Maintenant, il redouble sa seconde, pour aller en première S (scientifique). "On m'aurait admis en série économique et sociale (ES), mais, avec mon niveau de français, je n'aurais pas été capable d'avoir la moyenne à l'épreuve écrite de sciences économiques. Même en histoire, où pourtant je suis calé, je fais beaucoup de fautes de syntaxe et d'orthographe ; j'écris comme je parle ! Cela vient des lacunes accumulées au fil des années." Il en veut à ses parents de ne pas l'avoir fait redoubler dès le départ : "C'est un sujet tabou", dit-il. "Je me suis mis dans la tête que, en francais, je n'y arriverai jamais."

Les classes dans les écoles françaises		
École	**Classe**	**Age de l'élève**
École primaire	Cours préparatoire (CP) Cours élémentaire 1 (CE1) Cours élémentaire 2 (CE2) Cours moyen 1 (CM1) Cours moyen 2 (CM2)	6 ans 7 ans 8 ans 9 ans 10 ans
Collège	Sixième Cinquième Quatrième Troisième	11 ans 12 ans 13 ans 14 ans
Lycée d'enseignement général et technologique (âge moyen d'entrée en classe sans redoublement)	Seconde Première (L ; ES ; S) Terminale (L ; ES ; S)	15 ans 16 ans 17 ans

(Baccalauréat général : L= série littéraire ; ES = série économique et sociale ; S = série scientifique. En plus, il y a toute une gamme de cours de Baccalauréat technologique.)

(Le Lycée d'Enseignement Professionnel propose des cours de deux ans qui se terminent par le CAP (certificat d'aptitude professionnelle) ou le BEP (brevet d'études professionnelles), avec la possibilité de poursuivre deux années d'études supplémentaires pour obtenir le Baccalauréat professionnel.

1 A l'aide d'un dictionnaire, cherchez le sens des expressions suivantes puis trouvez un bon équivalent anglais.

a A dix-huit ans, il est le doyen de sa classe de seconde.
b Cela ne se voit pas trop, car sa silhouette juvénile fait illusion.
c Il est parfois en butte aux plaisanteries.
d Les jeux étaient déjà faits.
e Il traîne toujours des lacunes en français.
f C'est un sujet tabou.

Point-grammaire

Le conditionnel passé voir page 144, § 60

On m'**aurait admis** en série économique et sociale.
*They **would have allowed** me to enter the economics course of the first-year Sixth.*

Je ***n'aurais pas été*** capable d'avoir la moyenne à l'épreuve écrite.
*I **would not have been** capable of getting an average mark in the written test.*

Le conditionnel passé de *devoir* voir page 144, § 60

J'***aurais dû*** redoubler le CP.
*I **ought to have** repeated the first year of primary school.*

Pratique de la grammaire . . . .

Le conditionnel passé

Reformulez les questions et réponses ci-dessous pour pratiquer l'emploi du conditionnel passé. (N'oubliez pas de changer à l'affirmatif ou au négatif si besoin est.)

Exemple : Est-ce qu'il a redoublé ? Non. Ses parents n'ont pas insisté.
Reformulation : Si ses parents avaient insisté, il aurait redoublé.

a Est-ce qu'il a travaillé ? Non. Il n'a pas compris les cours.
b Est-ce qu'il a redoublé ? Oui. Il n'a pas un bon niveau de français.
c Est-ce qu'il était bon en histoire ? Non, il n'écrit pas assez bien.
d Est-ce qu'il a bien compris les cours ? Non. Les professeurs n'étaient pas compétents.
e Est-ce qu'il est allé à l'université ? Non. Il n'est pas assez doué pour les études.

Le conditionnel passé de *devoir*

Répondez en français aux questions suivantes en utilisant le conditionnel passé du verbe **devoir**.

Exemple : S'il était faible en français, pourquoi n'a-t-il pas redoublé ?
Réponse : C'est vrai ; il aurait dû redoubler.

a S'il était derrière les autres, pourquoi n'a-t-il pas fait plus de travail ?
b Si ses parents lui faisaient des reproches, pourquoi ne les a-t-il pas écoutés ?
c Si c'était la catastrophe en sixième, pourquoi ses parents n'ont-ils pas accepté l'idée du redoublement ?
d S'il voulait être géographe, pourquoi ne l'ont-ils pas laissé entrer en série ES ?
e S'il était en échec à l'école, pourquoi est-ce que ses parents ne l'ont pas fait redoubler dès le départ ?

— J'aurais aimé que tu sois quand je t'ai rencontré un artiste pauvre et malade. Je t'aurais soigné. Je t'aurais aidé de toutes mes forces. Nous aurions eu des périodes de découragement, mais aussi des moments de joie intense. Je t'aurais évité, dans la mesure de mes possibilités, tous les mille et un tracas de la vie afin que tu te consacres à ton art. Et puis, petit à petit, ton talent se serait affirmé. Tu serais devenu un grand artiste admiré et adulé, et, un jour tu m'aurais quittée pour une femme plus belle et plus jeune. C'est ça que je ne te pardonne pas!

Le redoublement : effet positif ou négatif sur l'élève ?

Un professeur parle du redoublement dans les écoles françaises et donne ses raisons pour trouver que le redoublement peut avoir un effet positif.

1 Après avoir écouté ce professeur, essayez de résumer la suite des événements pour un enfant qui éprouve des difficultés en classe.

2 Relevez dans le tableau ci-dessous, toutes les expressions utilisées par ce professeur pour expliquer :

a les raisons d'un redoublement ;
b les aspects positifs et les conséquences d'un redoublement ;
c ce qu'un redoublement ne doit pas être.

Raisons du redoublement	Aspects positifs et conséquences	Ne doit pas être...
les enfants ont eu de grosses difficultés	*il doit être une chose positive*	*une façon de le pénaliser*

3 Lisez ci-dessous une partie de la transcription de cet entretien, puis, en réécoutant l'enregistrement, remplissez les blancs.

Alors la position des parents .... je pense ces dernières années parce que d'abord, il y a une plus grande .... entre les parents et l'équipe d'enseignants. Et puis, on essaie de bien .... aux parents que le redoublement .... vraiment .... comme une chose positive. Si on propose un redoublement .... qu'il sera utile à l'enfant. Ce n'est pas une façon de ....

4 Avec un(e) partenaire, discutez du redoublement. Pour vous, il n'existe pas. Mais seriez-vous pour ou contre ce système ? Quels en sont les avantages et les inconvénients, selon vous ?

Aidez-vous des expressions suivantes :

Bien sûr, pour ceux qui...
C'est également profitable à ceux qui...
Néanmoins, je trouve que...
Un autre aspect positif/négatif du redoublement c'est...
Le plus dur, ça doit être de...

Lecture 4

"L'internat m'a donné l'occasion de m'ouvrir aux autres"

De retour au foyer familial parisien après trois années d'internat dans un lycée du sud de la France, Christophe avoue avoir du mal à s'adapter à son nouveau mode de vie. Sa "seconde famille" lui manque. C'est lui-même qui avait choisi, à quinze ans, de s'éloigner de ses parents et de ses deux jeunes frères et sœur pour poursuivre sa scolarité dans un internat. Peu bavard sur les raisons profondes de sa décision, il évoque simplement le désir "d'être mieux encadré" afin de pouvoir "travailler davantage."

Si les premiers mois d'internat ont été difficiles à vivre, il a rapidement tissé des liens d'amitié, grâce notamment aux activités culturelles et sportives organisées au sein de l'établissement.

"La vie en commun vingt-quatre heures sur vingt-quatre m'a donné l'occasion de m'ouvrir aux autres. Je me suis découvert une capacité d'écoute que je ne soupçonnais pas", explique cet adolescent à la forte carrure, aux cheveux blonds sévèrement taillés en brosse. Paradoxalement, c'est au moment où Christophe rejoint la cellule familiale qu'il découvre la solitude. Son frère et sa sœur, âgés de sept et dix ans, sont trop jeunes pour partager ses activités et ses préoccupations. Il se confie volontiers à sa mère, mais tient à garder ses distances avec son beau-père (son père est décédé alors qu'il était âgé de quelques mois). Séparé de ses copains d'internat, il se sent isolé. "J'ai l'impression de traverser un passage à vide", confie-t-il. En attendant de se constituer un nouveau réseau de camarades, il dit "s'investir à fond" dons son travail scolaire.

1 Indiquez si les affirmations suivantes sont vraies. Si une affirmation n'est pas vraie, corrigez-la.

Exemple : Christophe est content de quitter l'internat et de rentrer chez lui.
Réponse : Faux. Il a du mal à s'adapter à la famille.

a C'était sa décision personnelle de choisir un internat comme école.
b Il ne parle pas beaucoup des raisons de sa décision.
c Il ne s'est jamais fait d'amis pendant sa période comme pensionnaire.
d Il a détesté d'être obligé de passer tout son temps en compagnie des autres.
e A la maison, son frère et sa sœur n'ont pas les mêmes intérêts.
f Dans sa nouvelle vie, il trouve difficile de reprendre son travail scolaire.

2 Pour chacune des phrases suivantes, écrivez quelques lignes pour en expliquer le sens.

a Sa "seconde famille" lui manque.
b Le désir "d'être mieux encadré".
c "Je me suis découvert une capacité d'écoute que je ne soupçonnais pas."
d Il se confie volontiers à sa mère.
e "J'ai l'impression de traverser un passage à vide."

3 Voici quelques-uns des avantages de l'internat pour Christophe. Avec un(e) partenaire, discutez chacune de ces affirmations. Dites si vous êtes d'accord et donnez vos raisons.

- On acquiert une seconde famille.
- On peut être mieux encadré.
- On peut travailler davantage.
- Il y a beaucoup d'activités culturelles et sportives.
- La vie en commun donne l'occasion de s'ouvrir aux autres.

Quelle école pour le XXIème siècle ?

Le modèle d'enseignement secondaire français fondé sur l'abstraction et une culture générale à tendance encyclopédique est actuellement remis en cause par une partie des élèves pour lesquels "cela ne sert à rien" ; par des parents, arguant que le résidu des connaissances en fin de scolarité est pauvre ; ainsi que par certains représentants du monde économique, regrettant que les élèves soient inadaptés au travail au sortir de l'école. Ils demandent que les savoirs transmis soient plus concrets et forment à un métier et souhaitent donc que l'école s'adapte au marché de l'emploi. Par ailleurs les élèves ayant accès à une information protéiforme par la télévision et l'ensemble des média, réclament un enseignement davantage articulé sur le présent. Ils veulent que l'école aborde essentiellement les débats de l'actualité et qu'elle leur délivre directement des clés de compréhension du monde contemporain.

Aujourd'hui, le malaise de l'école semble profond. L'école en France n'est pas un simple lieu d'instruction, elle est le lieu où la société se transmet et forge les nouvelles générations. Or, la société n'est plus assurée de ses valeurs et le doute atteint l'école. Pourtant elle conserve un rôle unique et indépassable. Dans le monde moderne où l'individu est de plus en plus seul, elle représente la seule expérience collective qui soit générale à l'ensemble d'une génération. Elle est actuellement la seule communauté où s'élaborent et se communiquent les références et les codes communs indispensables à toute vie sociale.

1 Recherchez dans le texte les mots ou expressions qui pourraient être remplacés par les expressions équivalentes qui suivent.

Exemple :
est basé sur, est construit sur = fondé

a on en examine actuellement le pour et le contre ; on le critique
b ce qu'il en reste
c qui peut prendre toutes les formes ; qui se présente sous les aspects les plus divers
d plus en rapport avec ; plus lié au
e en venir à un sujet pour en parler, en débattre
f un état de crise, de mécontentement
g elle forme, constitue
h se préparent par un lent travail de l'esprit ; se forment lentement

2 Dans le premier paragraphe, relevez tous les griefs qui sont faits à l'enseignement secondaire français et d'autre part, les changements que l'on voudrait y apporter.

Exemple :

Reproches faits à l'enseignement	**Changements souhaités**
Ça ne sert à rien	des savoirs plus concrets

3 L'auteur affirme que "la société n'est plus assurée de ses valeurs". Selon vous, quelles sont ces valeurs qu'avait la société dans le passé ? Pensez-vous qu'elle ait eu les valeurs suivantes ?

– la tradition
– le sens de la responsabilité communale
– le respect des personnes âgées
– le respect de la religion
– le respect de la famille

Quelles valeurs a-t-on perdues aujourd'hui ? Pourquoi ? Par quoi les a-t-on remplacées ? Discutez-en avec un(e) partenaire et faites une liste des valeurs contemporaines.

Point-grammaire

Le subjonctif voir pages 145–148, § 64–66

On emploie le mode subjonctif après des verbes exprimant la volonté, un souhait, un doute.

Ils **regrettent** que les élèves **soient** inadaptés au travail.
*They **regret** that the pupils **are** unsuited to the demands of a job.*

Ils **demandent que** les savoirs transmis **soient** plus concrets.
*They **ask for** the content of the teaching programme **to be** more practical.*

Ils **veulent que** l'école **aborde** les débats de l'actualité.
*They **want** school **to tackle** current issues.*

Elle représente la seule expérience qui **soit** générale.
*It **offers** the only experience which a whole generation has in common.*

Les parents **doutent** que l'école **puisse** préparer leurs enfants pour la vie.
*Parents **don't believe that** school **can** prepare their children for life.*

Le participe présent voir page 144, § 61

Le participe présent peut être employé comme **adjectif**, comme **nom** ou comme **forme verbale**.

Il a la valeur d'un nom dans :
Certains **représentants** du monde économique...
*Some **representatives** of the economic world ...*

Il a la valeur d'une proposition relative (qui regrettent que ; qui ont accès à) :
regrettant que les éléves soient...
***regretting that** pupils are ...*

Les élèves **ayant** accès à...
*Pupils **having** access to ...*

Pratique de la grammaire

Le subjonctif

Dans les phrases suivantes, mettez le verbe entre parenthèses soit au subjonctif soit à l'indicatif comme il convient.

a On commence maintenant à douter que ce système d'enseignement (être) le meilleur.
b Les élèves pensent que les connaissances scolaires ne (être) pas utiles dans la vie.
c Les parents estiment que les enfants (oublier) presque tout.
d Les employeurs voudraient que les jeunes (avoir) des connaissances plus concrètes.
e L'adaptabilité au travail est le seul critère qui (être) valable pour les employeurs.

Le participe présent

Mettez les expressions en gras au participe présent.

Exemple : Les élèves **qui ont accès à** une information protéiforme réclament un enseignement moderne.

Réponse : Les élèves ayant accès à une information protéiforme réclament un enseignement moderne.

a Les parents, **qui déplorent** le manque de culture, encouragent leurs enfants à travailler plus dur.
b L'école, **qui représente** les valeurs de la société, reste un lieu unique.
c L'école reflète le malaise d'une société **qui doute** de ses valeurs.
d L'école doit-elle se plier aux exigences du monde économique **qui privilégie** la formation sur la culture ?

Compétences orales et écrites . . . .

Présenter et défendre son point de vue

1 Mettez-vous par groupe de quatre. Deux élèves préparent une liste d'arguments en faveur de l'école, pendant que les deux autres préparent une liste de critiques du système scolaire. Chacun présente ses arguments au cours d'un débat.

Aidez-vous des expressions utilisées dans les quatre lectures ainsi que des suivantes :
Je suis convaincu(e) que... On ne peut pas nier que... Supposons que...
On a tort de croire que... Je doute que... Je ne pense vraiment pas que...

2 Écrivez sous forme de notes, tout ce que vous avez appris au cours de cette unité sur le programme d'études pour le baccalauréat.

Avec un(e) partenaire, ou en groupe, comparez ce programme à celui du *A Level* anglais. Discutez des avantages et des inconvénients de chaque système. Lequel préférez-vous ? Donnez vos raisons.

Expressions utiles pour la discussion :
En France, il y a plus de...
On accorde plus d'importance à...
Mais, c'est au détriment de...
Par contre, en Angleterre nous avons moins de...
L'avantage de ce système c'est...

3 En utilisant certains arguments énoncés au cours du débat précédent, écrivez une courte dissertation d'environ 200 mots sur les avantages et les inconvénients de votre propre système éducatif. Essayez de suivre le plan suivant.

- Introduction (présentation du thème ; questions qu'il soulève)
- Développement
  i Les défauts de l'école et du système éducatif
  ii Les qualités de l'école et du système éducatif
- Conclusion (ce que l'école vous a personnellement apporté d'unique)

5 Les technologies de demain

Contenu

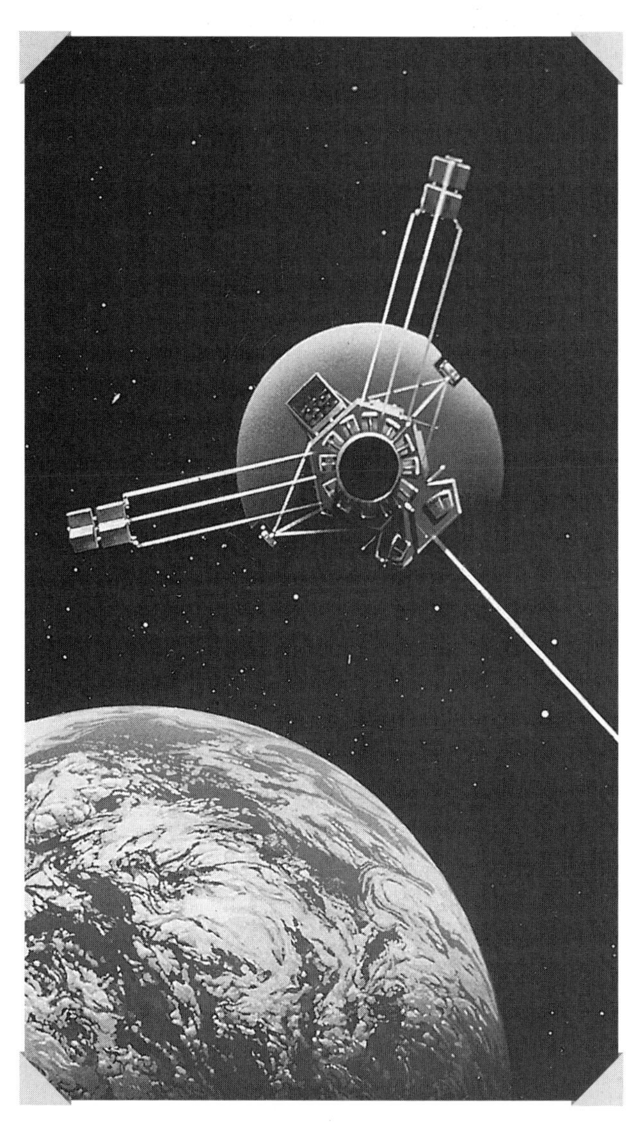

Quoiqu'on en pense, notre monde est dominé par la technologie. Que ce soit la télé et l'ordinateur chez soi, ou les voyages dans l'espace ; la technologie des systèmes de transport ou les communications par satellites, il n'y a plus moyen d'échapper au flot des nouvelles inventions de l'ingénuité humaine. On peut admirer la rapidité du progrès ou déplorer la déshumanisation par les machines, mais on ne peut pas rester indifférent !

COURRIER DU FIG-MAG

TROP D'INFORMATIQUE !

■ Je n'aime pas les ordinateurs : toutes ces lignes de texte qui défilent derrière ces écrans verdâtres ont quelque chose d'irréel. Des petites ampoules creuses qui s'allument ou qui s'éteignent selon des lois binaires ont quelque chose d'intangible et d'inhumain.

"Sans informatique pas de salut", telle est l'impression que je retiens à la lecture de votre supplément jeune, ce qui ne me rend pas très enthousiaste chaque fois que j'envisage mon avenir. Par pitié épargnez-nous cette sous-culture du XXIe siècle... ■

Claire Buchet

Réponse du Fig-Mag :

Notre rubrique "Modernisme" tente effectivement de faire le point sur la façon dont chaque métier est bouleversé par la micro-informatique. Le photographe, le chimiste, l'architecte et même les sculpteurs ont la possibilité de travailler sur micro. Rassurez-vous, nous nous efforçons de présenter des micro-ordinateurs manipulables par des non-informaticiens, par des littéraires ou des artistes. Par vous peut-être !

1 Dans le premier paragraphe, relevez tous les adjectifs ayant un sens plutôt négatif puis, pour chaque adjectif relevé, trouvez l'adjectif correspondant, à sens positif.

Exemple : Verdâtre – Vert

2 Relevez dans la lettre et sa réponse, tous les termes qui appartiennent au langage de la technologie. En vous aidant d'un dictionnaire si nécessaire, donnez leur équivalent anglais.

3 Trouvez (dans la lettre de Claire et la réponse) tous les détails concernant l'article qui a poussé Claire à écrire sa lettre. Puis, écrivez un résumé de ce que contenait, à votre avis, cet article en vous servant des expressions comme :

C'était un article qui a paru dans...
Il parlait de...
Il insistait surtout sur...
Il montrait à quel point...
On donnait comme exemple...
Il terminait en disant que...

4 Imaginez que Claire aime beaucoup les ordinateurs et changez dans sa lettre les verbes et les adjectifs pour que cette lettre devienne une lettre positive qui se termine par :
"Vive cette nouvelle forme de culture du XXIème siècle !"

Conversation sur les technologies de demain

Des jeunes gens parlent à notre interviewer de l'usage des ordinateurs au lycée.

1 Voici une transcription du début de cette interview mais il y a des mots qui manquent. Réécoutez cette première partie et remplissez les blancs.

Isabelle : Bon, maintenant j'aimerais avoir votre opinion sur les technologies du futur ; c'est-à-dire que vous allez être une génération où certainement, l'ordinateur devient absolument .... Alors, vous, tous les deux, vous êtes en pleine préparation ...., vous avez 18 ans, est-ce que l'ordinateur est un ...., un instrument, dont vous vous servez .... ? Toi, Cécile, par exemple ?
Cécile : Alors, moi, j'ai un ordinateur mais je n'ai pas encore le .... de m'en servir pour travailler. Cependant, je suis consciente du fait que, maintenant, pour travailler, il faut savoir se servir d'un ordinateur. Maintenant, dans n'importe quel .... qu'on va trouver, il va falloir s'en servir. Alors, au lycée, le problème c'est qu'il n'y a aucune ...., on ne nous .... pas à s'en servir. Jamais on ne fait ...., donc, ça ne nous pousse pas à nous intéresser justement à ce genre d'instrument.
...
Samuel : ...

Cécile

Samuel

2 Voici une liste d'affirmations. En écoutant l'interview, dites 'oui' ou 'non', selon que vous retrouvez une opinion qui est exprimée dans le texte.

a On ne doit jamais préparer ses devoirs sur ordinateur.
b On a des séances sur ordinateur dans les cours de maths.
c Quand on fait des études supérieures, il faut souvent s'acheter un ordinateur.
d La plupart du temps, on se sert de l'ordinateur comme traitement de texte.
e Le lycée est équipé d'un ordinateur individuel pour chaque élève.

3 Voici des questions relevées dans cette interview. Posez ces mêmes questions à des membres de votre classe, notez les réponses, et prenez des notes pour comparer l'expérience de Cécile et de Samuel dans ce domaine avec l'expérience de vos amis.

a Est-ce que l'ordinateur est un outil dont vous vous servez constamment ?
b On ne vous demande pas de rendre vos devoirs imprimés sur ordinateur ?
c Exactement quel type de travail est-ce qu'on requiert sur ordinateur ?
d On ne se sert pas de l'ordinateur comme traitement de texte, aussi ?
e Est-ce que vous pensez que ce serait une bonne chose que des profs exigent de vous des devoirs faits sur ordinateur ?

Lecture 2

La première Française de l'espace

Ce médecin est la première Française de l'espace

"Une femme doit faire doublement ses preuves, et en plus démontrer qu'elle n'est pas une emmerdeuse dans un équipage." Elena Kondakova, la cosmonaute russe avait prévenu Claudie André-Deshays, sa consœur française : "la piste aux étoiles emprunte une vallée de larmes et de sueur. Le métier de cosmonaute a ses lois, et elles ne sont pas tendres pour les prétendantes féminines."

Il en aurait fallu davantage pour intimider ce jeune médecin de trente-huit ans. Son regard bute, un jour dans un couloir d'hôpital de la région parisienne, sur une annonce de recrutement de spationautes français. Dix ans plus tard, Claudie André-Deshays est sélectionnée, puis qualifiée, par le Centre national d'études spatiales. Après des milliers d'heures de préparation, d'entraînement, d'encadrement, enfin notre "cosmonette" sera prête pour voler vers la station orbitale Mir, en juin.

Pour ciseler chacun des gestes qu'elle devra accomplir à bord, elle est retournée depuis le début janvier s'entraîner à la Cité des étoiles, près de Moscou. Au programme, cours de navigation spatiale et de physique, séances de "tabouret" et de centrifugeuse, musculation, course à pied.

Rhumatologue de formation, Claudie ne renie pas son serment d'Hippocrate "Médecin je suis, médecin je reste." La preuve ? Elle sera présente à Paris, le 27 mars, pour le Salon du MEDEC. La marraine de ce salon professionnel de la médecine en est fière.

"Je suis honorée, car je participe à l'aventure spatiale au nom de tous les médecins. Je dois faire le lien entre leur pratique quotidienne et la médecine spatiale."

Entre les étoiles et le plancher des vaches, les préoccupations sont parfois identiques : ostéoporose, dérégulation de la pression artérielle, adaptation de l'organisme, etc.

Si elle s'ennuie, le soir, à la Cité des étoiles, Claudie pourra converser avec des confrères. S'y trouvent, en ce moment, trois astronautes de l'Agence spatiale européenne. Mais aussi deux Américains de la NASA, qui préparent un second vol américano-russe pour la fin de 1995. Six mois avant l'envol de Claudie André-Deshays.

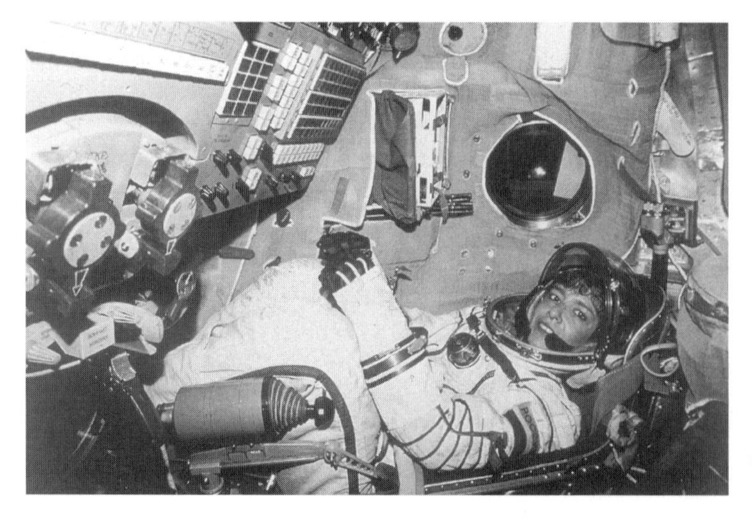

La spationaute française s'envola vers la station orbitale Mir en juin 1996. Après des milliers d'heures d'entraînement.

❶ Retrouvez dans le texte les expressions que vous pourriez remplacer par les équivalents suivants.

a Le voyage dans l'espace.
b Les femmes qui veulent, qui aspirent à aller dans l'espace.
c Il est très difficile de faire changer d'avis à ce jeune médecin.
d Elle n'oublie pas qu'elle a pris avant tout, l'engagement de soigner.
e La terre ferme.

❷ Complétez les tableaux suivants :

a sur la carrière de Claudie Deshays ;
b sur son emploi du temps.

Carrière	
Premier métier :	
Spécialisation :	
Deuxième métier :	
Objectif :	
Interêt médical :	

Emploi du temps	**Événement**	**Lieu de travail**
De janvier à mars : Au mois de mars : En juin :		

❸ Dans vos propres mots, reformulez et expliquez en une phrase l'expression suivante utilisée par le journaliste :
"La piste aux étoiles emprunte une vallée de larmes et de sueur."

La télévision interactive

Un nouveau type de télévision va bientôt voir le jour : la télévision dite "interactive". Un spécialiste nous explique toutes les possibilités que "l'écran de demain" pourra nous offrir.

1 Quand on essaie d'expliquer quelque chose d'assez compliqué à un interlocuteur, on a recours à des façons de parler qui aident l'explication, par exemple :

- des questions rhétoriques (c'est-à-dire des questions qui n'attendent pas de réponse mais qui rendent l'explication moins dense et difficile) ;

  Exemple : Qu'est-ce que cela veut dire ?

- des mots qui n'ajoutent rien au vrai sens de l'explication mais qui servent à faciliter la compréhension ;

  Exemple : bon, bien, en fait, enfin, etc.

a Relevez dans cette présentation sur la télévision interactive, toutes les questions rhétoriques. Faites-en une liste. Trouvez-vous que cette façon de poser des questions vous aide dans votre compréhension ?

b Faites une liste de tous les mots et de toutes les expressions qui, à votre avis, n'ajoutent vraiment rien au sens de l'explication, mais qui sont nécessaires pour la continuité du discours.

Exemple :
Alors, qu'est-ce qu'on entend par télévision interactive ? Bon, je vais vous donner un exemple.

2 Un ami anglais qui ne comprend pas le français vous pose la question : *But what is interactive television exactly?* Prenez d'abord quelques notes sur l'explication donnée, puis faites un résumé oral en anglais pour répondre à la question.

3 Écoutez encore une fois la section de "La télévision va devenir un outil de connaissances..." jusqu'à "des sons et des données." Comment réagissez-vous à cette vision du futur ? Aimeriez-vous, par exemple faire vos achats par télé-commande ? Notez vos réactions à ce sujet, ainsi que vos idées, puis comparez votre point de vue à celui de vos amis.

4 Expliquez en anglais le sens de la dernière phrase du texte : "L'interactif va annoncer une nouvelle ère où les lignes de partage entre les médias vont vraiment se brouiller."

Les problèmes de la circulation

Vingt-quatre millions de véhicules roulent en France. Et le trafic continue de progresser de 5 % par an. Voici ce que nous préparent l'État, les villes et les ingénieurs pour casser cette spirale.

Ils bougent, ils bougent, les Français. Voiture d'abord, mais aussi train, avion, bus, métro, tramway. Tous les moyens sont bons pour satisfaire leur boulimie de kilomètres. En matière de transport, la France a toujours su innover : Concorde, TGV, VAL... Pourtant, à l'aube de l'an 2000 – et face à l'accroissement prévisible des déplacements – le spectre de la thrombose guette les grands axes de communication. D'ailleurs, s'ils restent très attachés à leurs voitures, nos compatriotes admettent volontiers qu'il est temps de prendre des mesures pour limiter la circulation. Près de huit millions de Français, soit 15 % de la population, déplorent être souvent victimes des embouteillages. Et 26 % reconnaissent les affronter de temps en temps.

Les fonctionnaires du ministère des Transports, les ingénieurs de la SNCF, de la RATP, des Aéroports de Paris ou ceux, plus secrets, des principaux constructeurs automobiles, dessinent déjà le paysage du XXIe siècle. Dans ce domaine, la France devra mettre la gomme. En effet, certaines prouesses technologiques, telles que le TGV, la mise en place de métros automatiques ou la construction de certains grands axes masquent la réalité : notre pays ne voue pas assez d'efforts à ses transports. Nous y consacrons 1,5 % du PNB, soit beaucoup moins que dans les années 70 (2,2 %), et moins que d'autres nations telles que l'Allemagne ou les États-Unis. Et il ne s'agit pas seulement de nouvelles constructions.

Peut-on se passer de ces camions qui abîment nos routes ?

Pays de transit, l'Hexagone souffre de l'augmentation continue du trafic de camions. Non seulement ceux-ci contribuent à congestionner un peu plus la circulation, mais ils sont en grande partie responsables de la dégradation rapide des routes et autoroutes. A tel point que, aux États-Unis, les autorités envisagent – sacrilège ! – d'instaurer des péages sur certains grands axes. Chez nous, la réponse passera peut-être par de nouvelles taxes ou par l'invention de nouveaux moyens de transport. Enfin, l'automobile elle-même devra évoluer. Devenir moins polluante, on le sait, mais également plus intelligente... Grâce à la multiplication de ses cerveaux électroniques, la voiture de demain saura éviter les bouchons dans les grandes métropoles.

Les chiffres de tous les trafics

Aujourd'hui :

- Le trafic routier augmente de 5 % chaque année.
- La région Ile-de-France compte 21 millions de déplacements motorisés par jour.
- 85 % des embouteillages français ont lieu à Paris.
- 10 % de véhicules en plus sur la route engendrent 50 % de bouchons supplémentaires.
- 58 % des Français souhaitent que la circulation dans les centres-villes soit limitée, même si cela leur impose des efforts.
- 20 millions de passagers utilisent chaque année le TGV et 22 millions transitent par Roissy, qui va devenir le premier aéroport français, devant Orly.

D'ici à l'an 2010 :

- Les déplacements de voyageurs auront doublé.
- Les transports de marchandises auront augmenté de 50 %.
- La SNCF aura construit 3 500 kilomètres de nouvelles lignes de TGV sur le territoire national.

La voiture de demain ?

1 Vous trouvez dans ce texte plusieurs sigles très utilisés. Recherchez dans les documents dont vous disposez les mots auxquels ils correspondent. Complétez les espaces vides. Puis donnez une brève description.

Exemple :
VAL : Véhicule automatique léger (métro informatisé roulant sur pneumatiques)

TGV : …………
SNCF : Société nationale …………
RATP : Régie autonome des …………
PNB : Produit …………

2 Relevez dans le texte les différents aspects des transports en France, et classez-les en trois colonnes :

Exemple :

Les points forts	**Les points faibles**	**Les solutions proposées**
le TGV	L'accroissement des déplacements	prendre des mesures pour limiter la circulation

3 Reliez la phrase commencée dans la colonne de gauche à la partie qui lui correspond à droite.

a	L'état français va être obligé	**i**	nous cache la vérité de la situation.
b	La France ne consacre pas assez	**ii**	de faire des kilomètres en voiture.
c	La présence de voies de communication réputées	**iii**	d'y mettre toute son énergie.
d	Les responsables de la circulation routière	**iv**	d'énergie et de recherches en ce domaine.
e	Ils désirent contenter leur appétit excessif	**v**	ont l'intention d'établir des péages.

4 Chaque phrase de la liste **a**, **b**, **c** est l'équivalent d'une des phrases **i**, **ii**, **iii** tirées du texte. Indiquez quelle phrase de la liste **a**, **b**, **c** correspond à chacune des phrases tirées du texte.

a La construction de grands axes masque la réalité.
b La France devra mettre la gomme.
c Notre pays ne voue pas assez d'efforts...
d Ils veulent satisfaire leur boulimie de kilomètres.
e Les autorités envisagent d'instaurer des péages.

i L'État francais va être obligé d'y mettre toute son énergie.
ii Ils désirent contenter leur appétit excessif de faire des kilométres en voiture.
iii Les responsables de la circulation routière ont l'intention d'établir des péages.
iv La France ne consacre pas assez d'énergie et de recherches en ce domaine.
v La présence de voies de communication reputées nous cache la vérité de la situation.

5 Vous trouvez dans le texte les adverbes 'pourtant', 'd'ailleurs' et 'en effet'.
'Pourtant' marque l'opposition.
'D'ailleurs' introduit une nuance nouvelle.
'En effet' s'emploie pour introduire une explication, un argument.

Dans les phrases suivantes choisissez l'adverbe qui convient selon le sens.

a En prenant leur voiture pour aller au travail, les Parisiens sont sûrs d'être coincés dans des embouteillages, ... ils continuent à utiliser ce moyen de transport.
b Le TGV mérite plus que jamais la réputation de train le plus rapide du monde. .... au cours des derniers essais, il a dépassé les 500 km heure.
c La France a toujours pris conscience de l'importance des voies de communication. ...., l'étendue de son réseau d'autoroutes le prouve.
d Avec le TGV, le Concorde et le VAL , on pourrait penser que le budget consacré aux transports est très élevé. Il est .... un des plus faibles en Europe ...., il ne représente que 1,5 % du PNB.

Lecture 4

Le bureau à la maison

Le deuxième constructeur informatique mondial, l'américain DEC (Digital Equipment), est un adepte du travail à distance. Les salariés travaillent à domicile, grâce à l'ordinateur et aux moyens de communication modernes. C'est le "télétravail".

Bloqué dans les embouteillages, contraint d'effectuer de longs trajets pour aller au bureau, quel est le citadin qui n'a pas rêvé un jour de travailler chez lui ? Aujourd'hui, cela devient possible grâce au télétravail. Grâce aux moyens sophistiqués de communication comme le téléphone, le télécopieur, les communications entre ordinateurs, il est permis de travailler à distance.

Une tradition remise au goût du jour

Chez Digital Equipment, qui fabrique des ordinateurs, il s'agit d'une tradition ancienne, qui est née au moment de la création de la société à Maynard dans l'État nord-américain du Massachusetts. Un pays où les hivers rigoureux forçaient les ingénieurs à rester travailler chez eux au coin du feu plutôt que d'affronter les tempêtes de neige et les routes dangereuses. Aujourd'hui, cette "tradition" est remise au goût du jour et d'autres éléments ont contribué à étendre le système. D'abord pour des raisons d'économies. Les bureaux coûtent cher et rapportent peu, surtout lorsqu'ils sont "sous-utilisés". Or les cadres sont souvent sur le terrain, chez les clients.

Par ailleurs, les moyens de télécommunication modernes, téléphone, télécopieur, Minitel, modems, permettent de s'affranchir des distances. Pourquoi s'en priver ? Concentrer trois bâtiments en un seul pour faire des économies sur les mètres carrés de bureaux, tel est l'objectif de Digital Equipment qui pousse ingénieurs et commerciaux à travailler à distance, depuis leur domicile ou depuis des lieux de passage (entreprises des clients, hôtels, salons professionnels...).

Un double poste de travail

Le centre technique européen pour les télécommunications de DEC est installé en France dans les collines de la zone d'activité de Sophie Antipolis, à Nice. 400 personnes – plus d'un salarié sur deux – pratiquent cette forme de travail : des informaticiens, des cadres itinérants, commerciaux et chefs de produit. Tous possèdent un double poste de travail : l'un dans l'entreprise et son jumeau à domicile. Pour se connecter sur le réseau informatique de l'entreprise, les télétravailleurs composent un numéro spécial. Un système automatique les rappelle, vérifie leur nom, leur numéro de téléphone et leur mot de passe. Dans l'ensemble, les salariés sont enthousiastes ; ils n'ont plus envie de revenir en arrière. Ils apprécient la souplesse de la formule et considèrent qu'ils ont pu grâce à elle améliorer leur vie de famille. A tel point qu'en région parisienne, ce sont les commerciaux de la société qui expérimentent à leur tour les joies du télétravail.

Cette formule gagne du terrain. Actuellement en France quelque 50 000 personnes travaillent ainsi à distance. Selon une étude de France Telecom, près d'un million de personnes pourraient télétravailler au début des années 2000.

1 Remettez dans l'ordre les mots des quatre phrases suivantes pour obtenir un résumé du texte.

a le télétravail, s'agit, nouvelle, Dans cet article, qu'on, forme de, travail, appelle, il, d'une.
b se déplacer, chez lui, chaque, le salarié, Au lieu de, pour aller, jour, à son bureau, travaille.
c le modem, de, les équipements, Il se sert, actuels, le fax, le téléphone, l'ordinateur, tous, de la, tels que, télécommunication.
d tous, présente, nouvelle, les avantages, de, travail, L'article, cette, à domicile, forme de.

2 Lisez le texte puis répondez aux questions suivantes.

a Quel est l' avantage principal du télétravail pour les habitants des grandes villes ?
b Où et comment est née l'idée du télétravail ?
c Quel est le principal avantage économique du télétravail ?
d Comment travaillent les salariés de Sophia-Antipolis qui ont opté pour le télétravail ?
e Expliquez la phrase "ils apprécient la souplesse de la formule."
f Si plus d'un million de gens télétravaillent en l'an 2000, quels types de changements cela apportera-t-il à la vie quotidienne des villes et des gens ?

3 Avec un(e) partenaire, essayez de faire une liste des avantages du travail au bureau sur le télétravail.
Quelle forme de travail préféreriez-vous personnellement ? Donnez vos raisons.
Utilisez des expressions exprimant :

- la concession :
  Bien sûr ; Il est vrai que ; On ne peut nier que ; Il est évident que
- la conséquence :
  Cela réduirait/augmenterait ; Ça permettrait de ; On aurait la chance de
- la réservation :
  Mais ; Néanmoins ; Pourtant ; Cependant
- les recommandations :
  Ce qui me manquerait ; Il faudrait ; J'aimerais aussi pouvoir ; Je trouve qu'il serait utile de
- les opinions personnelles :
  A mon avis ; Selon moi

4 Écrivez un article de journal pour montrer à quel point la multiplication du télétravail pourrait modifier l'aspect des grosses villes (immeubles pour bureaux ; circulation dans les villes ; espaces pour parking ; pollution automobile ; etc.)
Utilisez le conditionnel.

Point-grammaire

Les verbes impersonnels

Certains verbes sont dits impersonnels. Ils s'utilisent uniquement à la troisième personne du singulier précédés du pronom **il**. Ce pronom **il** est l'équivalent de l'anglais *it*.

Il en aurait fallu davantage pour impressionner ce jeune médecin.
It would have taken more than this to frighten this young doctor.

Il est temps de prendre des mesures.
It is time to take steps.

Il ne s'agit pas seulement **de** nouvelles constructions.
We are not just talking about (= it is not just a question of) new constructions.

Il est permis de travailler à distance.
Distance working is possible (= it is permitted to).

Il s'agit d'une construction ancienne.
We're talking about an old tradition (= it is a question of).

Il est possible d'y aller maintenant.
It is possible to go there now.

Quelques précisions sur les chiffres voir page 128, § 22

- **Mille** est toujours invariable (ne prend jamais d'**s**) :

  L'an deux mille (L'an 2000).
  Deux mille francs (2 000 francs).

- **Million** est un nom et peut être au singulier ou au pluriel :

  Un million.
  Deux millions.

  Million est suivi de **de**, lorsqu'il est accompagné d'un autre nom :

  Huit millions **de** Français.

- Le numéral ordinal qui correspond à **un** est **premier**. Mais dans les numéraux composés comme 21 ou 31, le numéral ordinal est **unième** :

  XXIe = Vingt et unième.

- Pour les nombres suivants, 'un' est relié par 'et' : 31, 41, 51, 61, 71.
  Soixante et onze = *Sixty one*.

- 1,5 % : Se lit : un virgule cinq pour cent.
  1.5 % : *One point five per cent*.

Pratique de la grammaire ....

Les verbes impersonnels

1 Remplissez les blancs avec le verbe impersonnel qui convient. Aidez-vous de la liste ci-dessous :

Il .... qu'actuellement le trafic dans les villes augmente d'environ 5 % par an. Il .... donc .... que les grandes villes soient souvent congestionnées. Il .... absolument encourager les gens à utiliser les transports en commun. Mais il .... que pour beaucoup de gens il .... de vivre sans voiture. Devant la gravité de la situation, il .... au plus vite trouver des solutions. Une nouvelle forme de travail pourrait apporter une solution. Il .... du télétravail. Avec cette forme de travail à domicile, il .... de réduire la circulation de moitié. Serait-ce la solution de l'avenir ?

est donc inévitable	est prouvé	faut	serait inconcevable	faudrait	s'agit
semble	serait possible				

2 Traduisez en français les phrases suivantes en utilisant un verbe impersonnel pour l'expression soulignée.

a *In the year 2000* ***it will be necessary*** *to find a solution to the traffic problem.*
b ***It is time*** *to take action to reduce the traffic flow.*
c *This article* ***is about*** *the possibility of working from home.*
d ***It would have taken a great deal*** *to prevent Claudie from participating in this project.*
e ***We must try*** *to learn how to use the new technology.*
f ***It is*** *no longer* ***a question of*** *tradition : it is an answer to a very real problem.*

Les chiffres

1 Écrivez en toutes lettres les chiffres suivants :

a 26
b 51
c 91
d 101
e 6 000 000 F
f 10.000 F
g Au XIIIème chapitre
h 2,2 % des Français

2 Écrivez en français les nombres suivants en chiffres.

a Deux millions trois cent mille cent dix-huit
b Dix-neuf cent quatre vingt dix-neuf
c Cinquante-neuf millions
d Vingt-deuxième
e Soixante et demi pour cent (**ou** soixante virgule cinq pour cent)
f Cent pour cent

Les nouvelles technologies et le travail de journaliste

Antoine Deletang, journaliste dans un grand quotidien, nous parle des nouvelles technologies et de la façon dont elles vont modifier en profondeur le travail des journalistes.

1 Donnez de brèves explications, en français, des expressions suivantes que vous avez entendues dans l'interview.

a l'aspect planétaire de la communication
b ces technologies de pointe
c les frontières entre les médias traditionnels commencent à s'estomper
d faire sa mise en page directement sur l'écran
e un journal vraiment à la carte
f deux qualités deviennent vraiment primordiales
g une excellente formation technique, polyvalente

2 Remplissez les blancs dans cet extrait du texte.

Certaines .... évoluent, d'autres ....; de nouveaux .... naissent. Par exemple, si vous entrez dans la .... d'un journal aujourd'hui, toutes les .... ont disparu. Sur les bureaux vous trouvez le ...., des fax, des ....; maintenant, les .... d'agence sont intégrées directement dans le système .... des rédactions, et sont .... classées par service.

3 Voilà deux opinions exprimées dans cette interview.

- Le journaliste n'est plus qu'un maillon de la chaîne d'information en quelque sorte.
- Il y a un risque important. C'est que l'analyse et la rigueur qui faisaient la beauté du métier de journaliste passent en fait après l'urgence.

Considérez ces affirmations, et répondez aux questions suivantes.

a Qu'est-ce qu'on gagne et qu'est-ce qu'on perd à cause de ces développements ?
b Si vous étiez journaliste, seriez-vous satisfait(e) d'être "un maillon dans une chaîne" ?
c Si vous étiez journaliste, aimeriez-vous plutôt avoir le temps d'analyser une situation en profondeur, ou la stimulation de transmettre des nouvelles en urgence ? Donnez vos raisons.

4 On nous dit que le public est "très exigeant" et "veut toujours plus d'informations et toujours plus vite." Mais on pourrait dire aussi qu'on est submergé par la quantité d'informations, qu'on en a trop.

Qu'est-ce que vous en pensez ? Discutez avec un(e) partenaire et comparez vos points de vue.

En 2069, l'espace est omniprésent dans la vie quotidienne. Des milliers de satellites déversent sur les écrans les programmes du monde entier. Les océans, la forêt amazonienne, toute la biosphère sont surveillés depuis le cosmos. Le premier hôpital de l'espace vient d'être inauguré. Et voilà qu'un bébé naît sur Mars.

"Bonjour, merci de regarder Space Channel, le canal de l'espace, en direct vingt-quatre heures sur vingt-quatre du cosmos et des planètes." Nous sommes le 20 juillet, 2069 à 20 h, et Muriel, petite parisienne de 15 ans, vient de sélectionner sur l'écran mural de sa chambre, en zappant parmi plus de 100 chaînes, son programme préféré. Comme les informations, le sport, la musique, l'espace bénéficie d'un canal spécial, diffusé sur la planète entière par d'énormes satellites géostationnaires, immobilisés à 36 000 km d'altitude au-dessus de l'équateur.

Muriel rêve d'être astronaute, comme son grand frère. François-Xavier, 25 ans, jeune spécialiste de la médecine cosmique, est stagiaire à bord de Freedom-5, un hôpital spatial expérimental (et international) qui tourne à 400 km d'altitude autour de la Terre.

Freedom-5 illustre la grande tendance de l'astronautique en cette seconde moitié du XXIe siècle : exploiter le potentiel pratique et économique du cosmos. Des satellites géostationnaires aux antennes de plusieurs centaines de mètres de diamètre assurent les liaisons entre des milliards de téléphones mobiles sur terre et sur mer. D'immenses radars orbitaux suivent la circulation maritime et aérienne. Bardées d'instruments, des plates-formes lourdes d'observation de la Terre surveillent l'environnement, contrôlent les niveaux de pollution et collectent les informations nécessaires pour prévoir le temps un mois à l'avance.

Grâce à ces satellites, la formation et le trajet des typhons et des ouragans sont connus plusieurs jours à l'avance, et les séismes localisés à 100 km près…

Depuis leurs abris souterrains, vingt explorateurs téléguident des robots.

En ce 20 juillet 2069, un siècle exactement après le débarquement historique d'Armstrong et d'Aldrin sur la Lune, un événement exceptionnel est attendu sur la Von Braun-1, au pied du gigantesque volcan Olympus Mons : la naissance du premier bébé... martien. La colonisation de la planète rouge n'est pourtant pas encore à l'ordre du jour. Mars reste un monde glacé et hostile, où une vingtaine d'explorateurs et d'exploratrices vivent dans des abris souterrains, et téléguident des robots intelligents.

Le tourisme spatial commence à se développer.

Aller dans l'espace ! Des dizaines de milliers d'humains ont déjà réalisé ce rêve en 2069. Muriel supplie son père de l'emmener un jour sur le cosmodrome de Montpellier, d'où décollent chaque jour des avions aérospatiaux qui rejoignent les habitats spatiaux avant de revenir se poser sur une piste d'aérodrome. Les voyages cosmiques restent néanmoins l'apanage des travailleurs de l'espace. Bien que… le tourisme commence à se développer.

1 Vous trouverez ci-dessous une liste de racines grecques et latines.

Latin	**Grec**
omnis – tout	bios – vie
sphaera – sphère	gê – terre
statio – état de repos	tele – loin
astrum – étoile	phôné – voix
nautas – matelot	kosmos – ordre ; univers
dromos – course ; terrain de course	aêr – air

a Cherchez dans le texte les mots formés sur ces racines. Faites-en une liste.
b Pour chaque mot de votre liste, donnez une brève définition en français.

2 Les phrases ci-dessous contiennent des inexactitudes. Corrigez-les selon l'information donnée dans le texte.

Exemple : On a établi de nombreux hôpitaux dans l'espace.
Correction : Le premier hôpital vient d'être inauguré.

a Le programme préféré de Muriel c'est le sport.
b Elle voudrait devenir spécialiste en médecine comme son frère.
c Grâce aux satellites, on peut prédire exactement où va se passer un tremblement de terre.
d Des colonies se sont déjà installées sur Mars.
e Les touristes sont nombreux à partir vers les habitats spatiaux.

3 *Answer the following questions in English.*

a *Muriel doesn't watch Space Channel on an ordinary TV set. How does she view the programme ?*
b *What does the article claim is the main purpose of space travel in the second half of the 21st century ?*
c *What are the principle functions of the observation platforms in space ?*
d *Describe the planet Mars and the big event that has occurred recently, according to the article.*

Point-grammaire

Les locutions prépositives

Une locution prépositive est un groupe de mots qui, ensemble, forment une préposition. Une majorité des locutions prépositives sont formées sur le modèle : **à (au, à l')**, **en** + **substantif** + **de**.

Notez, en gros, deux catégories de locutions prépositives :

1 Situation dans l'espace et le temps :

en direct du cosmos	*direct from the cosmos*
au-dessus de l'équateur	*above the equator*
à bord de Freedom 5	*on board Freedom 5*
à 400 km d'altitude	*at an altitude of 400 km*
à 100 km près	*to within 100 km*
à l'ordre de	*on the agenda for*
à l'aube de	*at the dawn of*
face à	*faced with, confronted by*
au moment de	*at the time of*
au coin du feu	*at the fireside*

2 Cause et manière :

au nom de	*in the name of*
grâce à	*thanks to*
en matière de	*as far as … is concerned*
au goût de	*in the fashion of*

Pratique de la grammaire . . . .

Les locutions prépositives

1 Choisissez dans les phrases suivantes la locution prépositive qui convient le mieux au sens de la phrase :

a Nous recevons des émissions	grâce au en direct du à bord du	cosmos.
b Les émissions sont diffusées	à l'ordre d' au moment d' grâce à	un canal spécial.
c Les satellites sont immobilisés	au-dessous de au-dessus de à bord de	la terre.
d François Xavier se trouve	en butte à au fil d' face à	un problème médical.
e Nous voici	à l'aube d' par rapport à en fin d'	une nouvelle ère.

2 Après avoir étudié cette liste de locutions prépositives prises de l'ensemble des lectures du chapitre 4, complétez les tâches ci-dessous.

par rapport à (*Lecture 1*)
à l'égard de (*Lecture 2*)
en fonction de (*Lecture 2*)
en butte à (*Lecture 3*)
jusqu'à (*Lecture 3*)
à la fin de (*Lecture 3*)
au fil de (*Lecture 3*)
de retour à (*Lecture 4*)
en fin de (*Lecture 5*)

a Repérez ces locutions dans les lectures du Chapitre 4.

b Écrivez la liste complète des locutions avec le substantif qui suit chaque locution.
Exemple : par rapport à l'écrit (*Lecture 1*)

c Traduisez en anglais la locution avec substantif.
Exemple : par rapport à l'écrit = *with reference to the written word*

d Finalement, classez ces locutions selon les deux catégories expliquées au *Point-grammaire* : 'situation dans l'espace et le temps', et 'cause et manière'.

Compétences orales et écrites . . . .

Donner des explications ; exprimer la probabilité et l'improbabilité

1 Est-ce que la description du rôle de l'espace que vous avez lue dans la *Lecture 5* vous paraît probable ? Possible ? Ou hors de question ? Faites trois listes. Puis, ajoutez à vos listes vos propres idées.

Probable	Possible	Hors de question
100 chaînes de télévision	Prévoir le temps un mois à l'avance	Un hôpital spatial

2 Avec un(e) partenaire, échangez vos idées sur les développements technologiques de l'avenir. Pour exprimer la probabilité ou l'impossibilité, voici quelques phrases pour vous aider.

Certitude
je suis persuadé que
il est hors de doute que
il faut bien reconnaître que
tout me porte à croire que

Probabilité
sans doute
cela ne m'étonnerait pas que (+*subj*)
il y a de fortes chances que
tout semble indiquer que

Possibilité
il est possible que (+*subj*)
il se peut que (+*subj*)
il me semble que (+*subj*)

Impossibilité
il n'est pas possible que (+*subj*)
il n'y a aucune chance que (+*subj*)
il est hors de question que (+*subj*)

3 En utilisant les arguments que vous avez développés, écrivez une courte dissertation d'environ 200 mots pour exprimer les possibilités et les probabilités de la technologie dans l'avenir. Vous pouvez baser votre dissertation soit sur les transports, soit sur les ordinateurs, soit sur l'espace. Voici quelques idées pour vous aider.

Introduction : la rapidité du progrès technologique
la nécessité de toujours s'adapter
la difficulté de prédire l'avenir

Exemples de progrès récents (l'exemple de l'ordinateur) :
la présence de l'ordinateur dans tous les domaines de la vie quotidiennne
l'ordinateur de bord de la voiture moderne
les codes-barres des supermarchés (il suffit que la caissière promène sur cette zone un crayon optique doté d'un faisceau lumineux. Le crayon, relié à l'ordinateur central du magasin, lit le code du produit)
le terminal d'ordinateur chez l'agence de voyages pour réserver des places

Probabilités et possibilités de demain :
développez vos idées sur le futur

Conclusions : Quel est le bilan pour l'individu ?
Le progrès est -il toujours avantageux ?
Qu'est-ce qu'on gagne ? Qu'est-ce qu'on perd ?

6 Environnement

Contenu

“**La sauvegarde de notre environnement est à l'ordre du jour.** Des organismes sont heureusement, chargés de l'assurer, tel le Conservatoire du Patrimoine qui a permis de sauver plusieurs milliers d'hectares de la 'bétonnite'. Si la destruction de la terre est un problème primordial, celui de la pollution de l'air ne l'est pas moins. Les organisations telles que Greenpeace, sensibilisent le grand public aux questions écologiques. Et la montée des pays en voie de développement fait prendre conscience de la nécessité d'une politique mondiale de l'écologie.”

Lecture 1

Les vingt printemps du Conservatoire

Plus de 340 sites ont été sauvés de la « bétonnite » grâce à cet établissement unique en France.

Le Conservatoire du littoral fête ses 20 ans avec panache. En guise de cadeaux, il offre au public, parmi les terrains récemment acquis et restaurés, sept bijoux *. Histoire de démontrer que le Conservatoire, établissement public créé par le législateur en juillet 1975, ne faillit pas à sa mission. Avec un budget resté trop longtemps dérisoire, mais passé depuis peu à 135 millions de francs, le Conservatoire mène une énergique politique foncière de sauvegarde. Sa tactique : acheter toute parcelle encore vierge de construction, avec vue sur mer ou sur lac. Face aux promoteurs, la bataille ressemble au combat de David contre Goliath.

Mais le Conservatoire, en offrant au public près de 350 sites, s'est attiré les bonnes grâces de l'Etat et des mécènes. Du coup, ses compétences ont été élargies aux estuaires : 3 500 ha devraient être achetés et protégés vers Donges afin de compenser l'extension du port de Nantes. Parallèlement, le Conservatoire a lancé, avec le Muséum national d'histoire naturelle et la Fondation Procter et Gamble, un inventaire de la flore et de la faune. Pour connaître encore mieux ses protégés.

*Cap Gris-Nez (Nord-Pas-de-Calais), fort du Cap Lévy (près de Cherbourg), abbaye de Beauport (Paimpol, Côtes-d'Armor), l'île Nouvelle (estuaire de la Gironde), île de Planasse (Aude), archipel de Riou (près de Marseille) et les falaises de Bonifacio (Corse).

Depuis sa création, en 1975, le Conservatoire a acquis 44 580 hectares.

Achetés par parcelles à partir de 1992, les 83 hectares de la pointe du Raz ont mis à l'abri des touristes et des promoteurs la faune et la flore, caractéristiques des côtes du Finistère Nord.

1 Trouvez dans le texte pour chaque mot ou expression ci-dessous un mot ou une expression équivalente.

a la côte
b élan
c échoue
d qui fait rire
e terrain
f bénéfacteur

2 Pour pratiquer l'emploi du nom en apposition, reformulez les phrases suivantes sur le modèle de l'exemple donné.

Exemple : Le Conservatoire est un établissement créé en 1975 qui ne faillit pas à sa mission.
Réponse : Le Conservatoire, établissement créé en 1975, ne faillit pas à sa mission.

a Le Conservatoire est un établissement qui fête ses 20 ans et qui le fait avec panache.
b 135 millions de francs est un budget raisonnable qui lui permet de poursuivre sa mission.
c La lutte contre les promoteurs est une bataille qui ressemble au combat de David et Goliath et qui se décide en faveur du Conservatoire.
d Les compétences du Conservatoire sont des compétences qui ont été élargies aux estuaires et qui en étendent l'aire d'influence.
e Le Musée national est le partenaire du Conservatoire et l'aide dans son travail.

3 Tâches diverses (au choix).

a Regardez sur une carte de la France et trouvez les 'sept bijoux' mentionnés dans le texte.
b Avec un(e) partenaire, développez les arguments et les points de vue du Conservatoire et des promoteurs dans leur bataille au sujet de ces terrains.

Conservatoire	**Promoteurs**
Nécessité de garder un environnement sauvage.	Nécessité d'offrir des divertissements aux touristes.

Alain, sauveteur-moniteur des plages

Alain Duroy passe beaucoup de temps à regarder la mer puisqu'il est sauveteur-moniteur sur les plages. Cet amoureux de la mer dénonce avec vigueur l'inconscience des vacanciers qui utilisent la mer comme "une poubelle".

1 En écoutant l'enregistrement, essayez de compléter le tableau ci-dessous sur la pollution de la mer.

Responsables en été	Objets jetés dans la mer	Durée de vie de ces objets	Dangers pour la faune

2 Relevez toutes les expressions qui montrent la colère ou la désapprobation d'Alain face à l'attitude des gens qui polluent les mers.

Exemple : les gens continuent à prendre la mer pour une poubelle.

3 Complétez les phrases suivantes selon ce que vous entendez dans l'enregistrement.

Exemple :
Les vacanciers et les plaisanciers vont venir s'ajouter... à tous les industriels de la mer.

a Les gens continuent ....
b parce que les bactéries n'arrivent pas ....
c Quand vous pensez qu'elles mettent plusieurs siècles ....
d c'est évident qu'il y a beaucoup de gens que ....
e c'est le pétrole et l'huile de moteur ....
f Un autre objet qu'on trouve dans les mers ....

4 Lisez les questions suivantes, puis prenez des notes en réécoutant l'enregistrement pour pouvoir répondre ensuite à ces questions.

a Qu'est-ce qui prouve que la pollution de la mer n'est pas seulement un phénomène saisonnier ?
b Comment réagit la faune marine en présence des sacs en plastique ?
c Pour quelle raison l'huile de moteur entraîne-t-elle la mort des poissons ?
d Comment un frigidaire jeté en mer, est-il une menace pour la couche d'ozone ?

COURAGE... RESPIRONS !

Asthmatiques et personnes sensibles des bronches, un bon conseil en cas de pollution excessive de l'air, restez chez vous ! Car il ne fait pas bon respirer dans les rues de la capitale quand Airparif, l'organisme qui surveille la qualité de l'air, déclenche l'alerte.

"Il existe une relation croissante entre les pics de pollution relevés et l'état de santé des personnes les plus fragiles", souligne Denis Zmirou, professeur à la faculté de médecine de Grenoble. "C'est surtout les poussières et l'ozone qui sont les plus dangereux, ajoute-t-il. Si des mesures ne sont pas prises, les conséquences sanitaires chez certains sujets risquent d'être très graves dans les dix prochaines années."

L'an dernier, le rapport, répondant au doux nom trompeur d'Erpurs, a semé la zizanie dans le monde médical et politique. Il montre l'étroite relation qui existe entre l'augmentation de la pollution et l'aggravation de la santé des personnes les plus exposées. Asthmatiques, enfants et personnes âgées souffrent alors de gênes respiratoires, de bronchites, de problèmes cardio-vasculaires ou de maux de tête.

Lors des journées où le niveau de pollution est 'élevé' – 18 jours par an – la hausse de dioxyde de soufre et de particules fines en suspension dans l'air augmente le nombre d'hospitalisations de 6 à 10 %. Pis, si le taux moyen d'ozone augmente de 100 microgrammes par mètre cube au cours de la journée, on enregistre de trois à quatre décès supplémentaires. En résumé la pollution peut tuer.

Outre le dioxyde de soufre et l'ozone, ce sont surtout ces particules fines qui causent le plus de dégâts, et notamment celles qui sont présentes dans le diesel. Ce carburant, très en vogue actuellement (selon l'évidence du parc automobile), laisse s'échapper des microparticules mortelles. Elles se dispersent très difficilement et pénètrent dans les voies respiratoires. Selon une étude de l'Union européenne, une augmentation de ces poussières de 50 milligrammes par mètre cube provoque de 10 % à 15 % de décès supplémentaires par infection respiratoire.

1 Les phrases suivantes sont toutes fausses. Pour chaque phrase écrivez une affirmation correcte.

Exemple : Pour les asthmatiques il est toujours dangereux de rester enfermé chez soi.
Réponse : Les asthmatiques devraient rester chez eux en cas de pollution excessive.

- **a** Les médecins n'ont pas encore trouvé le lien entre la qualité de l'air et l'état de santé des gens.
- **b** Les docteurs étaient déjà tout à fait au courant des faits publiés dans le rapport 'Erpurs'.
- **c** S'il y a un problème de santé, il s'agit surtout des poumons et pas du tout du cœur.
- **d** Si la pollution augmente, plus de gens vont se faire traiter à l'hôpital, mais il n'y a jamais d'augmentation du nombre de morts.
- **e** C'est l'essence qui est la plus polluante parmi les carburants.

2 Écrivez des équivalents français pour les phrases ci-dessous en traduisant ou en vous basant sur des phrases du texte.

- **a** *Someone has sensitive air passages.*
- **b** *The consequences for the health of some cases could be serious.*
- **c** *Elderly people may suffer from headaches.*
- **d** *There is a close link between increasing pollution and deteriorating health.*

DES NORMES A NE PAS DEPASSER

■ SELON LES NORMES EUROPÉENNES EN VIGUEUR, UN SITE EST DÉCRÉTÉ POLLUÉ LORSQUE LE SEUIL DE 200 MG/M³ DE MONOXYDE ET D'OXYDE D'AZOTE EST DÉPASSÉ PLUSIEURS FOIS PAR AN.

■ POUR L'ORGANISATION MONDIALE DE LA SANTÉ, LE SEUIL EST BEAUCOUP PLUS ÉLEVÉ : 400 MG/M³ POUR LE DIOXYDE ET LE MONOXYDE D'AZOTE.

■ ET CE SONT DAVANTAGE LES CONDITIONS CLIMATIQUES QUE LE NIVEAU DE LA CIRCULATION QUI PROVOQUENT UN AGRAVEMENT DE LA POLLUTION. C'EST PARCE QU'IL FAIT BEAU ET QUE LA TEMPÉRATURE EST SUPÉRIEURE À 25° C QUE LES HYDROCARBURES ET L'OXYDE D'OZONE SE COMBINENT EN OZONE. SI CHACUN SAIT QUE CE GAZ EST NÉCESSAIRE EN ALTITUDE, IL EST EN REVANCHE NÉFASTE AU NIVEAU DU SOL. LE MAXIMUM FIXÉ PAR LA NORME EUROPÉENNE EST DE 180 MG/M³. MAIS À PARIS ON A DÉJÀ ENREGISTRÉ DES RECORDS DE 274 MG/M³.

France-Inter : Le téléphone sonne

Dans le studio, Madame Lepage, secrétaire à l'environnement et Monsieur Hérault, maire de Nantes, répondent aux questions des auditeurs sur l'écologie et les villes.

1 Complétez les phrases ci-dessous selon ce que vous entendez dans l'enregistrement.

Speaker

a Je vous appelais pour savoir si vous pensez que ....

Mme Lepage

b mais je suis bien convaincue que ....
c je ne crois pas que ce soit ....

M. Hérault

d je ne dirai pas 'écologiste' parce que c'est ....
e Et pour que ça marche, il faut effectivement maîtriser surtout dans les pays ....
f Et si nous n'y prenons garde, dans quelques années ....
g pour éviter toutes ces pollutions qui .... il faudrait développer ....
h Alors que je considère que c'est ...., pour que nos villes à nous ....

2 Lisez les questions suivantes avant de réécouter l'enregistrement. Puis, répondez à ces questions.

a Selon Mme Lepage, qu'est-ce que l'urbanisme doit prendre en compte aujourd'hui ?
b Pour Mme Lepage, quelles sont les conditions qui rendent une ville 'humaine et durable' ?
c Quel devrait être, selon M. Hérault, l'élément clé du développement ?
d Quelles pollutions doit-on impérativement maîtriser dans nos villes actuellement, et pourquoi' ?
e Qu'est-ce que Mme Lepage va présenter demain à l'Assemblée Nationale ?

3 Essayez en prenant des notes pendant cette écoute, de résumer en trois ou quatre lignes l'argument de Monsieur Hérault.

Puis, discutez avec un(e) partenaire des moyens de convaincre les gens aujourd'hui d'utiliser le moins possible leur voiture.

Greenpeace : en vert et contre tout

Le père du 'Rainbow Warrior' était un vieux rafiot de 24 m appelé le Phyllis Cormack, un navire rongé par la rouille qui avait déjà trop navigué et qui ne paraissait vraiment pas de taille à affronter la bombe atomique testée par les Américains à proximité de la petite île d'Amchitka au large des côtes d'Alaska.

● Sept ans plus tôt, en 1964, un premier essai nucléaire avait déjà eu d'énormes conséquences, provoquant une secousse séismique d'une force de 8,5 sur l'échelle de Richter. Et cette expérience, Jim Bohlen, l'un des fondateurs du mouvement, ne pouvait pas accepter qu'on la reproduise. Résultat : une épave flottante avec douze hommes à son bord lancée dans les eaux aléoutiennes pour affronter la bombe et les tempêtes... David contre Goliath en quelque sorte.

CONTRE LA BOMBE

Mais les rapports de force étaient trop en leur défaveur pour empêcher un deuxième essai nucléaire, puis un troisième. Ce à quoi l'équipage parvint, en revanche, c'est à mobiliser les médias et alerter la communauté internationale, et aussi à mettre suffisamment de pression sur le gouvernement américain pour que ce troisième essai soit le dernier... sur l'île d'Amchitka. Greenpeace était née, bien décidée à utiliser le formidable levier des médias.

BOUCLIERS HUMAINS

Au début de l'année 1975, l'organisation installa ses premiers bureaux à Vancouver et commença à récolter des fonds en vendant des badges, des tee-shirts, en organisant des concerts et des ventes aux enchères de peintures et de sculptures.

● Après les essais nucléaires, Greenpeace se lança dans une autre croisade à sa mesure : la survie des baleines, grandement menacées par les chasseurs essentiellement japonais et soviétiques. Encore une fois, le principe était le même que celui employé dans la lutte antinucléaire : celui du 'bouclier humain'. Cette fois-ci, la mission consistait à repérer un groupe de baleines avant les chasseurs et à mettre à l'eau les Zodiacs pour se placer entre les harponneurs et leur proie.

● Les photos d'un des Zodiac de Greenpeace interposé entre un groupe de baleines et le harpon du 'Vlastny', navire soviétique, firent le tour du monde. En 1976, Greenpeace ouvrait un bureau à San Francisco, le premier aux États-Unis. Ce fut l'époque où les militants s'organisèrent.

● Le 2 mars 1976 débuta la première expédition de Greenpeace en faveur des bébés phoques. L'idée : teindre la fourrure des bébés phoques pour la rendre inutilisable. Mais l'hostilité du gouvernement canadien obligea les militants verts à changer de tactique, et ce fut à nouveau le bouclier humain, associé à la puissance des médias.

● En 1978, après une campagne anti-baleiniers au large de Norvège, le 'Sir William Hardy', nouvelle acquisition de l'organisation, fut appelé pour une mission d'un tout autre genre : intercepter un bateau britannique chargé de couler dans les eaux internationales 2.000 tonnes de déchets radio-actifs. Les Zodiac furent encore à contribution, puisqu'ils furent placés sous le 'toboggan' permettant de jeter les déchets à la mer. Un des Zodiac fut détruit par un baril, l'acte étant, bien entendu, filmé et retransmis par la télé.

TOUS AZIMUTS

Les campagnes succédèrent aux campagnes ; aux causes de la genèse de l'organisation vinrent s'en ajouter d'autres, comme le combat contre le masssacre des dauphins par les pêcheurs japonais, l'extermination des kangourous en Australie, les filets dérivants.

● Leurs combats souvent héroïques, toujours difficiles (en témoigne l'attentat contre le 'Rainbow Warrior' il y a dix ans), leur permirent d'obtenir d'importantes victoires. La dernière sur la Shell, qui s'apprêtait à couler une plate-forme pétrolière, prouve que l'organisation est aujourd'hui écoutée.

1 Répondez en français aux questions suivantes.

a Décrivez les circonstances qui ont amené Jim Bohlen à fonder Greenpeace.
b Le troisième essai nucléaire était le dernier. Comment Greenpeace a-t-il pu faire pression sur le gouvernement américain ?
c Expliquez le sens de l'expression 'le formidable levier des médias'.
d Expliquez le rôle du 'bouclier humain' dans la lutte contre les chasseurs de baleine.
e Dressez une liste des principales campagnes de Greenpeace citées dans le texte.

Point-grammaire

Le passé simple voir pages 140–141, § 49–50

Le verbe au passé simple décrit une action **achevée** dans le passé. C'est-à-dire que c'est une action dont on connaît le début et la fin. Le passé simple s'emploie dans la **langue écrite** seulement. Dans la **langue parlée**, on emploie le passé composé pour une action achevée.

Comparez :
Langue écrite : L'organisation **installa** ses premiers bureaux.
Langue parlée : L'organisation **a installé** ses premiers bureaux.

On pourrait traduire en anglais les deux phrases par :
*The organisation **set up** its first offices.*

Voici d'autres exemples du passé simple que vous trouverez dans la *Lecture 3*.

- **Verbes réguliers**
  L'organisation **commença** à récolter des fonds.
  *The organisation **began** to build up its finances.*

  Greenpeace **se lança** dans une autre croisade.
  *Greenpeace **threw** itself into another crusade.*

  Les campagnes **succédèrent** aux campagnes.
  *One campaign **followed** another.*

- **Verbes irréguliers**
  Les Zodiac **furent** encore à contribution.
  *The Zodiacs again **had** a contribution **to make**.*

  Les photos **firent** le tour du monde.
  *The photos **went** right round the world.*

  Aux causes de la genèse de l'organisation **vinrent** s'en ajouter d'autres.
  *New causes **arrived** to add to the ones the organisation had started out with.*

La voix passive du passé simple voir page 145, § 62

La voix passive est composée du passé simple de l'auxiliaire **être** + **participe passé**.

Le 'Sir William Hardy' **fut appelé** pour une mission.
*The 'Sir William Hardy' **was called upon for a mission**.*

Un des Zodiac **fut détruit** par un baril.
*One of the Zodiacs **was destroyed** by a barrel.*

Pratique de la grammaire . . . .

Le passé simple

1 Il y a dans la *Lecture 3* 15 verbes au passé simple. Repérez ces verbes et donnez pour chaque verbe l'infinitif, comme dans les exemples suivants.

Verbes irréguliers		Verbes réguliers	
Dans le texte	**Infinitif**	**Dans le texte**	**Infinitif**
parvint	parvenir	installa	installer

2 Voici un résumé de ce texte en anglais. Traduisez-le en français. Employez le passé simple pour les verbes en caractères gras.

The first Greenpeace campaign **was launched** in 1971 when Jim Bohlen **decided** to oppose nuclear tests. The members of Greenpeace **could not** prevent the tests but they **succeeded** in alerting the international community and they **attracted** the attention of the media. In 1975 they **set up** an office in Vancouver and **began** to raise money. Their second campaign **was launched** in 1975 with the aim of protecting whales. The militants of the organisation **developed** the principle of the 'human shield'. They **placed** themselves between the whales and the boats of the hunters. A campaign for baby seals **began** in 1976. This **was** the beginning of a series of campaigns in favour of animal species.

3 Voici un extrait d'une interview avec Jim Bohlen. Vous êtes reporter et il faut écrire un rapport sur cette interview à la troisième personne et en mettant les verbes en caractères gras au passé simple.

Commencez : Mr Bohlen raconta comment, en 1964, un essai nucléaire eut d'énormes conséquences...

En 1964, un essai nucléaire **a eu** d'énormes conséquences. C'**est** cette expérience qui m'**a convaincu** de la nécessité de prendre une initiative. Mais ce n'**est** qu'en 1975 que **nous nous sommes installés** dans nos premiers bureaux à Vancouver. Par la suite, **nous nous sommes lancés** dans plusieurs croisades, par exemple, la survie des baleines. On **a eu** des accidents, par exemple, un de nos Zodiac **a été détruit**. Mais je crois que notre initiative **a permis** aux gens, dans le monde entier, de prendre conscience du problème.

Interview avec un assureur

Monsieur Vandamne, directeur d'une importante compagnie d'assurance, nous explique les mesures prises actuellement en matière d'assurance pour assurer la protection de l'environnement.

Vous allez entendre dans cet enregistrement des mots que vous ne connaissez peut-être pas. Voici leur définition :

Un assureur : personne qui travaille dans une compagnie d'assurance.

Indemniser : dédommager quelqu'un de ses pertes, compenser avec de l'argent.

Les factures : papier indiquant la somme, le prix à payer pour quelque chose.

Les dégâts : les dommages, les destructions, les dégradations.

Les fonds : capital, somme d'argent servant au financement.

1 En écoutant l'enregistrement, dites si les phrases suivantes sont vraies ou fausses. Si elles sont fausses, corrigez-les.

Question 1 et réponse :

a Monsieur Vandamne est à la tête d'un parti écologique.

b En 1987, au Canada, 10 milliards ont été nécessaires pour sauver la faune après la marée noire.

c Ce sont des groupements d'assurances qui couvrent en partie les dégâts dus à la pollution.

Question 2 et réponse :

a Toutes les entreprises doivent obligatoirement prendre une assurance contre la pollution.

b La catastrophe du Torrey Canyon a forcé les compagnies et assureurs à organiser des systèmes d'indemnisation en cas d'accident.

c C'est seulement lorsqu'un tribunal a réglé la question des responsabilités que les victimes peuvent enfin être indemnisées.

Question 3 et réponse :

a Dans le domaine du nucléaire, c'est l'État qui est responsable en cas d'accident et qui doit rembourser intégralement les dégâts.

b C'est l'EDF qui gère en France l'exploitation de toutes les centrales nucléaires.

c En cas d'accident touchant à une centrale nucléaire, les victimes ont toujours le droit de réclamer une indemnisation.

2 Lisez les questions suivantes, puis, après avoir réécouté l'entretien, répondez à ces questions.

a Quel type de catastrophe s'est produit en 1989 ?
b Quelles conditions une entreprise doit-elle remplir avant qu'on accepte de l'assurer contre la pollution ?
c Expliquez à quoi a servi la catastrophe du Torrey Canyon.
d Qu'est-ce qui permet aujourd'hui une indemnisation rapide des victimes des marées noires ?
e Avant la catastrophe de 1989, que se passait-il souvent lors d'un accident de pétrolier ?
f Comment l'EDF a-t-elle assuré ses centrales nucléaires ?

3 Essayez d'abord de traduire les phrases suivantes, puis en réécoutant l'enregistrement corrigez votre traduction, en fonction de ce qui est dit dans l'entretien.

Réponse 1
a *How much is it going to cost to clean or repair the environment?*
b *As for the Tchernobyl disaster, it has already cost several tens of billions.*
c *Insurance companies have to get together to be able to meet the enormous bills.*

Réponse 2
a *A company must prove that it really intends to prevent pollution.*
b *Up to then, most of the carriers had only taken out a basic insurance which did not cover them for the damages caused to the environment.*
c *So as you can see, the situation has nevertheless improved.*
d *Nobody used to pay for the measures that had to be taken to stop the pollution.*

Réponse 3
a *As for nuclear power stations, it is the state which offers its own guarantee.*
b *This means that the victims have only 10 years to come forward.*
c *As for the damage to the environment, let's not talk about that!*

Les Français et l'environnement

Il faut d'emblée signaler que l'environnement des Français est particulièrement tributaire de ce que font les autres peuples de la terre et vice versa. Les liens et interactions sont de plus en plus évidents, qui vont du 'local' au 'planétaire'. Bien que la France fasse partie de nombreux traités internationaux et qu'elle soit membre de l'UE (Union européenne), les Français ne sont encore guère conscients qu'une part croissante des lois et des règlements qui régissent divers domaines de leur environnement se moulent dans un cadre plus vaste, mondial ou régional.

Lors d'un sondage organisé par l'UE, au printemps de 1988, la question suivante fut posée : 'La protection de l'environnement est-elle un problème urgent et immédiat ? ou un problème pour l'avenir ? ou pas tellement un problème ?' Si 58 % des Français ont répondu que c'est un problème urgent et immédiat, ce pourcentage n'en était pas moins le plus faible enregistré dans l'UE (avec une moyenne de 73 %). Ils étaient aussi proportionnellement les plus nombreux à répondre que c'est un problème pour l'avenir, dont les solutions peuvent donc toujours attendre.

Si les Français s'intéressent peu à l'environnement, leurs gouvernements ne s'en préoccupent guère et sont peu enclins à les pousser sur la voie ardue de la prise de conscience et des sacrifices. Ni la droite ni la gauche qui ont gouverné la France depuis la création, en 1971, du ministère de l'Environnement, n'ont agi très en profondeur pour lutter contre les pollutions, et améliorer le cadre de vie, ni même pour préparer les esprits à conjurer les menaces qui pèsent sur la Terre (réduction de la couche protectrice d'ozone et réchauffement de l'atmosphère). La dimension écologique que contiennent les programmes des partis politiques a perdu sa crédibilité dès lors que ces partis sont parvenus au pouvoir et que par crainte de mécontenter des électeurs qu'ils prennent pour moins avertis qu'ils ne le sont, ils abandonnent toute mesure qui impliquerait des sacrifices financiers ou des changements sérieux d'habitudes.

1 Résumez les preuves données par l'auteur de ce texte pour montrer que ni les Français ni leur gouvernement ne s'intéressent beaucoup à l'environnement.

Exemple : Les résultats d'un sondage...

2 Retrouvez dans le texte la phrase qui correspond à chaque explication donnée ci-dessous.

- **a** L'environnement des Français varie en fonction de la qualité de l'environnement des autres pays qui l'entourent.
- **b** Les lois qui sont appliquées dans un pays en particulier ont en fait été décidées au niveau mondial.
- **c** Le gouvernement n'a pas très envie de forcer les Français à se rendre compte de la gravité de la situation.
- **d** On n'a plus confiance dans les soi-disant programmes écologiques des partis politiques.

Point-grammaire

Rappel du subjonctif voir pages 145–148, § 64–66

Le subjonctif est utilisé dans les circonstances suivantes :

- après **bien que** :
  bien que la France **fasse** partie de nombreux traités internationaux et **qu**'elle **soit** membre de l'UE...
  although *France* ***is*** *party to numerous international treaties and* ***is*** *a member of the EU ...*
- après **pour que** :
  pour que ce troisième essai **soit** le dernier...
  so that *this third test* ***may be*** *the last ...*
- dans une proposition subordonnée après un verbe au négatif :
  JB **ne pouvait pas** accepter qu'on la **reproduise**.
  JB could ***not*** *accept that there* ***should be*** *a repeat.*

Quelques précisions sur des expressions négatives

voir pages 152–153, § 77

Les Français **ne** sont encore **guère** conscients...
The French are as yet ***hardly*** *aware ...*

Leurs gouvernements **ne** s'en préoccupent **guère**.
Their governments show ***hardly any*** *interest.*

Ni la droite **ni** la gauche **n**'ont agi très en profondeur pour lutter contre les pollutions **ni même** pour préparer les esprits.
Neither *the right-* ***nor*** *the left-wing politicians have acted significantly to fight pollution* ***nor even*** *to prepare people's minds (= way of thinking).*

Ce pourcentage **n'en** était **pas moins** le plus faible enregistré.
This percentage was ***nevertheless*** *the lowest recorded.*

Les électeurs, qu'ils prennent pour **moins** avertis qu'ils **ne** sont...
The electors, whom they assume to be ***less*** *informed* ***than*** *is really the case ...*

lors de, dès lors que

Comment utiliser l'adverbe **lors de** et la locution **dès lors que** :

lors d'un sondage
during *(= at the time of) a survey*

dès lors que ces partis sont parvenus au pouvoir et qu'ils abandonnent...
as soon as *these parties get into power and they abandon ...*

Pratique de la grammaire . . . .

Rappel du subjonctif

Traduisez en français les phrases suivantes.

a *Although the French think that the environment is a problem for the future, they must change their habits now.*
b *Although the environment is important and is even the most important issue of our generation, many people are still not aware of the necessity to act.*
c *In order for the government to be able to react to the situation, it must persuade the people.*

Expressions négatives

Reformulez les phrases suivantes selon les modèles donnés.

Exemple 1 : Est-ce que les Français et leur gouvernement sont conscients de l'importance de ce problème ?
Réponse : Non ! Ni les Français ni leur gouvernement n'en sont conscients.

a Est-ce que la droite et la gauche ont lutté contre la pollution ?
b Est-ce que les électeurs et les politiciens sont avertis des problèmes ?
c Est-ce que les Français sont prêts à faire des sacrifices ou à changer leurs habitudes ?

Exemple 2 : Est-ce que le gouvernement se préoccupe du problème ?
Réponse : Non, il ne s'en préoccupe guère.

d Est-ce que les Français sont conscients des lois qui régissent leur environnement ?
e Est-ce que le gouvernement prépare les esprits à conjurer les menaces ?
f Est-ce que les programmes des partis politiques traitent de la dimension écologique ?

TIERS MONDE ET ENVIRONNEMENT

Le saccage nous concerne aussi

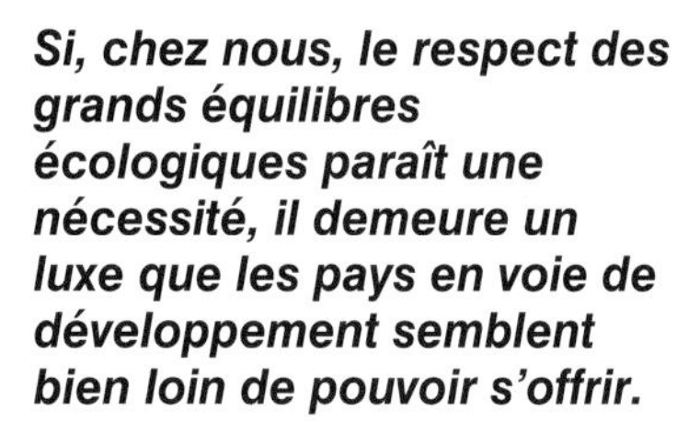

Si, chez nous, le respect des grands équilibres écologiques paraît une nécessité, il demeure un luxe que les pays en voie de développement semblent bien loin de pouvoir s'offrir.

La pauvreté, l'augmentation des inégalités, la croissance démographique, l'explosion urbaine, les conflits internes et externes multiplient les obstacles à la protection et à l'aménagement de l'environnement dans l'ensemble du Tiers Monde. De nombreux milieux, des formations végétales, des espèces animales et, le plus souvent, les hommes eux-mêmes voient leurs conditions d'existence se détériorer.

Depuis la dernière guerre mondiale, la population de la planète a plus que doublé alors que les famines reculent et que la mortalité, en particulier infantile, diminue. Ces résultats positifs entraînent une pression plus forte sur l'environnement.

Les villes du Tiers Monde connaissent de ce fait une croissance exceptionnelle, depuis plusieurs décennies. Des populations sans cesse plus nombreuses s'installent à la périphérie des villes dans des bidonvilles de plus en plus éloignés du centre et sur les terrains les plus dangereux (en 1988, à Rio, au Brésil, un glissement de terrain dans une favella a entraîné la mort de plus de 80 personnes). Les moyens financiers manquent pour faire face à cet afflux de population, le plus souvent très démunie. Outre l'insuffisance d'activités économiques qui permettraient une amélioration de l'habitat individuel, les équipements collectifs prennent de plus en plus de retard. L'amenée d'eau potable est problématique dans la plupart des quartiers et l'évacuation des eaux usées, partout dramatique. En Côte-d'Ivoire, à Abidjan (qui en trente ans est passée de 200 000 habitants à plus de 2 millions aujourd'hui), la lagune Ébrié compte parmi les eaux les plus polluées du monde et la pêche traditionnelle n'y est quasiment plus possible.

Les industries, si peu développées soient-elles, ne se soucient guère, pour des raisons économiques, d'épurer les fumées ou les eaux qu'elles rejettent dans le milieu. Aujourd'hui ce sont des villes du Tiers Monde, en particulier São Paulo et Mexico, qui détiennent ce triste record des villes les plus polluées du monde.

La détérioration de l'air y est aggravée par un trafic croissant de véhicules le plus souvent anciens, mal réglés, qui rejettent dans l'atmosphère des fumées deux à trois fois plus dangereuses que les voitures les plus modernes.

Dans les campagnes, les effets de l'accroissement démographique augmentent considérablement les risques d'épuisement des sols. Par ailleurs, la quête du bois de feu et l'augmentation des troupeaux (rendue possible par les progrès vétérinaires) contribuent à la dégradation de l'environnement.

Cette situation est amplifée par la concurrence des cultures destinées à l'exportation. Héritées de la colonisation, ces cultures sont réalisées de façon intensive sur les meilleurs sols, ce qui a pour résultat de les épuiser rapidement. Les monocultures du coton et l'arachide en Afrique, du café et de la canne à sucre en Amérique latine, par exemple, sont responsables depuis des siècles de l'épuisement de plusieurs millions d'hectares de terres arables.

Près de vingt ans après la première conférence mondiale des Nations Unies sur l'environnement, on prend conscience qu'une gestion solidaire de la biosphère devient impérative.

Deux décennies durant lesquelles s'est accélérée l'altération du capital naturel dans le Tiers Monde. Cette prise de conscience des pays du Nord a été largement favorisée par les menaces probables qui pèsent sur la couche d'ozone et l'hypothèse de changement global du climat.

Reste à savoir quelles seront les applications concrètes de ces déclarations de solidarité.

Réalisations

1 Retrouvez la définition du dictionnaire qui correspond à chacun des mots de la liste suivante que vous trouverez dans le texte.

a paraître
b demeurer
c la croissance
d l'aménagement
e reculer
f une décennie
g les bidonvilles
h le glissement de terrain
i une favella
j démunie
k se soucier de
l épurer
m la quête

i Rendre plus pur en éliminant les éléments nocifs.
ii Mot espagnol signifiant un quartier très pauvre.
iii Rester, continuer à être.
iv Ville composée de baraques, d'abris sans hygiène, faits avec des matériaux récupérés ici et là, et où vit la population la plus misérable.
v Faire un mouvement en arrière ; *sens figuré* : être en diminution.
vi Déplacement plus ou moins lent des couches superficielles de l'écorce terrestre.
vii Qui n'a pas de moyens financiers, d'argent.
viii Une période de 10 ans.
ix Action de partir chercher quelque chose.
x Le fait de grandir, d'augmenter, de se développer.
xi Sembler, avoir l'air, donner l'impression de.
xii La réglementation de l'exploitation des terres, des forêts.
xiii Se faire du souci, s'inquiéter, se préoccuper de…

2 Complétez le tableau ci-dessous en résumant ce qui contribue à détériorer l'environnement dans le tiers monde.

	Ce qui se passe actuellement	**Résultats sur l'environnement**
Les villes	1 *Afflux de gens en ville* 2	1 *Formation de bidonvilles* 2 *Glissement de terrains*
La pêche	*Évacuation des eaux usées dans les mers et rivières*	
Les industries		
Les véhicules	1 *Augmentation du nombre* 2	1 2
L'agriculture	*Cultures intensives*	

3 Retrouvez dans la *Lecture 5* les phrases qui pourraient être remplacées par l'un des équivalents de la liste ci-dessous.

a Il n'y a pas assez d'argent pour répondre aux besoins créés par l'arrivée massive des gens pauvres.
b A l'impossiblité de moderniser les logements, à cause du manque de développement de l'économie, s'ajoute l'impossibilité de moderniser les installations d'utilité publique.
c L'attitude de produire à tout prix pour faire marcher l'économie, est une attitude inconciliable avec l'organisation en commun de l'équilibre écologique de la planète.
d Dans les pays en voie de développement la nature a été de plus en plus détériorée ces 20 dernières années.

Compétences orales et écrites . . . .

Tirer des conclusions ; échanger des points de vue

1 Avec deux partenaires, discutez des questions suivantes. Puis, ensemble, formulez vos réponses par écrit.

a Expliquez, en vous servant des exemples de la *Lecture 5*, pourquoi l'auteur dit que, dans le Tiers Monde, le respect de l'équilibre écologique est un 'luxe'.

b Quelle est, selon le texte, la cause principale du saccage de l'environnement ?
Expliquez brièvement les conséquences qui en découlent :
i dans les villes,
ii dans les campagnes.

c Pour quelles raisons privilégie-t-on les cultures pour l'exportation dans les pays en voie de développement ? Quelles sont les conséquences de cette politique ?

d Pour quelles raisons organise-t-on depuis 20 ans des conférences mondiales sur l'environnement ?

2 Dans les pays en voie de développement, beaucoup de mesures anti-pollution n'ont pas pu être prises par manque d'argent. Avec un(e) partenaire, relevez dans la *Lecture 5*, les différentes occasions où le manque d'argent est mentionné. Comparez cette situation avec celle de notre propre pays. Puis, formulez-la par écrit.

Exemple :
Relevé dans le texte : 'Les moyens financiers manquent pour faire face à cet afflux de population.'
Comparaison : Dans nos pays, il y a également eu un afflux de population vers les villes. Mais un développement économique très poussé à permis à nos pays de disposer de moyens financiers suffisants pour pouvoir absorber cet afflux (construction de logements, d'équipements collectifs...)

3 En relisant la *Lecture 5*, prenez des notes sur ce qui vous semble menacer le plus sérieusement le capital naturel du Tiers Monde.

Discutez avec un(e) partenaire des solutions que l'on pourrait apporter à ces problèmes.

4 Le plan du texte de la *Lecture 5* est clair :

Introduction :
qui énonce le problème et ses différents aspects.
Développement : en trois parties (correspondant aux différents aspects énoncés) :
Paragraphe 1 : Développement des villes et conséquences
Paragraphe 2 : Développement des industries et conséquences
Paragraphe 3 : Développement des cultures et conséquences
Conclusion :
sur la mondialisation du problème.

En commençant par faire un plan en trois parties sur le modèle de celui du texte, mais plus détaillé, écrivez une dissertation sur le thème suivant :
"Les mesures anti-pollution et leur coût dans l'économie des pays industrialisés."

Developing study skills

We know that teaching provides the essential input to your studies and we know the exam demands the essential output. What is not so clear is what goes on in between. Just how do you go about learning and developing your skills?

The key to success in any examination is adequate preparation over a longish period. This is particularly important for the language student because there is no real way in which the quantity of material, in terms of words and skills, can be assimilated in a short space of time. Long-term objectives require a knowledge of aims in terms of the exam requirements, but short-term objectives mean organising yourself on a daily basis according to a regular timetable of activities. To organise your own work successfully you need to consider techniques of tackling reading and listening material and in particular the ways in which language skills support each other.

Vocabulary learning

Vocabulary is probably the single most important key to better grades. It is possible and important to build up a rich and varied vocabulary, but it must be done systematically and over a period of time. There is really no short cut to learning words. It is true that they are best learned in context from an article or something similar, but at A Level there may often be no alternative to learning words systematically, so many a day, and going over and over them.

Developing speaking skills

Quel élève êtes-vous à l'oral?

Firstly, look at the questionnaire on page 111, *Quel élève êtes-vous à l'oral?* The top half on the left looks at you as a person and at your confidence in general. Top right relates to your personality when dealing one-to-one with a teacher or examiner. Bottom left is your ability to organise and present ideas – either on the basis of a document to prepare or just in general. Bottom right considers the issue of language correctness and fluency.

Spend two or three minutes assessing yourself. Discuss it with your neighbour if you want to.

If you are by nature rather withdrawn or shy, we can't change your nature fundamentally. But speaking a foreign language is a key skill and the oral is the one part of the exam where the psychology of examiner and candidate interact, so that it is worthwhile working on ways of overcoming any shyness as well as working on the language side. If you have ticked some of the *points faibles* in the questionnaire, work at improving them by seeking occasions to conduct interviews with other people – even in English – as a means of building personal confidence.

The main thought to bear in mind is that there can be no output unless you provide adequate input. That means above all, in the case of the oral, listening to as much French as you can. You need to make the rhythms of the language automatic by training your ear. This may mean setting aside 10–15 minutes a day to listen to *France Inter* or *Europe 1*, both easily received in the UK. Don't worry too much about understanding all you hear, but treat it as a way of fixing patterns of speech in your mind. Borrow cassettes from school to listen to on your walkman. There is no lack of recorded material these days. Then, taking an interview or spoken passage, listen and re-listen until you understand, then replay in short sections using the pause button. Repeat the sections you have just heard, or practise predicting the next section, or stringing sections together.

Speaking in the examination

- Test-types
  The exam for which you are preparing may include one or more of the following tasks:
  - a two- or three-minute short talk on a topic prepared before the exam, followed by a discussion of the topic with the examiner;
  - preparation of a document, either written or visual, during the half an hour immediately preceding the exam, followed by a conversation centred around the document;
  - preparation and carrying out of a communicative task, where you might have to play a role or defend a point of view;
  - various types of reporting or negotiating tasks.
- Mark-schemes and principles of assessment
  Whatever the test in your particular exam, the main concern is your ability to communicate in

QUEL ÉLÈVE ÊTES-VOUS A L'ORAL?

Cochez l'affirmation qui correspond à votre cas personnel

En général

- ☐ j'aime parler
- ☐ je connais mes possibilités
- ☐ je sais utiliser mes possibilités
- ☐ j'ai confiance en moi

- ☐ j'ai peur de faire des fautes
- ☐ je suis timide
- ☐ j'ai l'impression de manquer de temps
- ☐ je perds mes moyens

En tête-à tête avec un prof

- ☐ je suis plus à l'aise qu'en classe
- ☐ j'établis le dialogue
- ☐ j'oublie mon trac assez vite
- ☐ mon look est un atout

- ☐ je bredouille ou bégaie
- ☐ je fais trop long ou trop court
- ☐ je ne comprends pas les questions
- ☐ j'ai un look d'enfer qui ne plaît pas

Pour comprendre et présenter mes idées

- ☐ je comprends vite un document
- ☐ je trouve les éléments essentiels
- ☐ je trouve les idées principales
- ☐ je sais utiliser mes connaissances

- ☐ je ne sais pas me repérer
- ☐ je fais de la paraphrase
- ☐ je ne sais pas imaginer un plan
- ☐ je ne sais pas prendre des notes pour me préparer

Pour m'exprimer en français

- ☐ je sais construire mes phrases
- ☐ je suis capable de dire ce que je veux
- ☐ je trouve mes mots
- ☐ j'ai des réflexes de langue

- ☐ je manque de vocabulaire
- ☐ je ne sais jamais placer les mots
- ☐ je suis terrorisé(e) par la grammaire
- ☐ je refais toujours les mêmes erreurs

Résultats

Si vos croix se situent davantage dans le haut des quatre cadres vous avez surtout des points forts, sinon plutôt des points faibles. Il faut vous aider à vous sentir plus à l'aise et à diminuer vos points faibles.

French at the level appropriate to A Level. All oral exams will seek to assess six main categories of performance. These are:
- pronunciation and intonation,
- comprehension,
- fluency,
- accuracy,
- range and variety of vocabulary,
- range and variety of structures.

It would be very difficult for an examiner to keep all six of these categories in mind while conducting a conversation so they are usually grouped together in some way, as you can see from the sample oral assessment grid on page 112. For example, comprehension is linked to fluency, and range and variety of vocabulary and structures are brought together. In a task such as role-play or reporting, a further important criterion is to fulfil the task, that is to say to carry out your role successfully.

It is worth taking time to look at the speaking assessment grid. You will see that each box gives a description of performance at different levels of ability for each of the main categories. The descriptions also clarify what is meant by, for

Speaking assessment grid

Overall Assessment	Pronunciation and Intonation	Comprehension and Fluency	Accuracy	Range of Vocabulary and Structures
Very Good	Best standard expected of non-native speaker. Some errors of pronunciation but sounds convincingly French.	Almost no problems of comprehension. Ready to lead and take initiative. Capable of continuous flow.	Very few errors even in complex language.	More complex sentences. Wide range of vocabulary (adjectives, adverbs). Knowledge of idiom.
Good	Some mispronunciation, but intonation reasonably French. Clearly aware of the rules of pronunciation.	A little hesitancy but no real problems of comprehension. Generally forthcoming and able to maintain flow.	Simple language very accurate. Mostly accurate in more complex structures.	Uses a variety of structures, including subordinate clauses and past tenses. Good range of vocabulary.
Adequate	Nasals and most vowels correct but quite a number of errors and faulty intonation.	Needs a fair amount of prompting and repetition of question. Rather hesitant production.	Basic language correct but attempts to use more complex language lead to error.	Beginning to use more variety of structures. More extended vocabulary.
Poor	Very anglicised.	Poor comprehension. Understands basic questions. Halting and laboured production.	Many basic errors, e.g. in tense and verb forms and adjectival endings.	Only simple sentences. Vocabulary limited.
Very Poor	Hardly comprehensible.	Responds with only two or three words.	So incorrect that communication is hardly possible.	Very restricted range of vocabulary. Cannot produce full sentences.

example, 'comprehension' and 'fluency'. This category includes such characteristics as readiness of response, hesitancy and willingness to take the initiative. Understanding a grid of this kind may help you to locate your own performance and to decide which areas you need to work on. You can see also that quite a number of factors are considered. They may not all have exactly the same weighting or importance. For example, comprehension and fluency may be given more marks on balance than pronunciation. But it does mean that if your spoken French is rather inaccurate, you might make up marks on some other aspect of the performance, such as fluency. The mark-scheme gives you a sort of profile, which allows you to gain marks for your best feature.

As regards your performance in the general conversation, the principal thought to bear in mind is that you should try to take and hold the initiative. The examiner is trying to help you to find subjects about which you are willing to talk. If you respond in short phrases or monosyllables, the examiner has to work hard to keep finding questions to put to you. But if you practice developing your answers so that you set out the lines of the conversation you will gain marks for response and initiative and the examiner will follow on the ground you have chosen. For example, you can be fairly sure to expect a question such as "*Quels sont vos projets pour l'avenir?*" If you reply simply, "*Je veux être professeur*", or "*Je veux devenir médecin*", the examiner then has to follow with a question such as "*Pourquoi est-ce que vous avez choisi cette profession?*" You can develop your first answer by replying something like: "*Je veux être professeur. Je m'intéresse beaucoup aux langues et je trouve qu'il n'y a rien de si intéressant que l'idée de pouvoir enseigner et transmettre ses enthousiasmes.*" So you can prepare for the personal side of the interview – your interests, future plans, studies, etc. by predicting ways in which you can talk rather than just respond to questions.

Developing listening skills

The nature of listening comprehension

Listening comprehension requires us to decode information using different types of cues: phonological (sounds), lexical (words) and grammatical. It is this complexity of response, allied to the fleeting nature of the spoken word, which makes listening perhaps the most difficult of the language skills and the most stressful test for examination candidates. In real life, we usually have only one chance to hear, decode and react to a piece of information heard over loudspeakers or from the radio or TV. In listening examinations, the candidate is sometimes required to listen twice to the taped material before answering questions. Or, as happens in certain examinations, the candidate has control over his/her own personal playback machine so that, within the time limits of the examination, the foreign language text can be played back as often as is necessary to be certain about its content.

Types of listening text and their characteristics

To develop your listening skills it is important to have the chance to hear authentic spoken French. There are a variety of types of authentic texts on which you may train your listening skills, including:
- everyday speech,
- announcements (e.g. shop, station),
- radio information (weather, traffic information),
- radio advertisements,
- *Fait divers*, news items,
- more extended interviews.

It is easy to be demoralised by listening material which is too difficult. If you can't pick up every detail, just try focusing on individual words that you recognise or on the intonation and flow of the language.

The following is a short list of possible approaches to developing listening skills.

- Running-memory exercise
  This drill sets out to develop the listener's short-term memory which must be trained to store information decoded in the foreign language. Listen to a taped extract, note a word heard in a sequence, try to memorize the words that follow and then stop the tape soon after. Repeat the section of the tape you have memorized, from the word to the point where the tape stopped.
- Listening ahead
  Stop the tape at a certain point and complete the rest of the sentence.
- Following a written text
  Listen to a text and read it at the same time. This will help to bridge the gap between reading the written text and hearing the spoken word.
- Make notes on a text
  To focus the listening skills, a summary or notes are useful.
- Transcription
  Write out an exact transcription of what you hear on tape. This is a form of very intensive listening, similar to dictation, but with the opportunity of replaying the tape so as to train the ear to pick up details not at first heard.

Developing reading skills

Comprehension of the written word is a complex activity taking place at a number of levels, starting with individual words and rising through the comprehension of phrases and sentences to a grasp of the whole text.

Here is a sequence to follow when you approach a reading text.

- Stage 1 Discovering the text
  Get to grips with the text by developing comprehension strategies. If the text is on a subject with which you are familiar, you will have expectations before you start reading. Ask yourself what words are likely to appear? What subject matter is likely to be included?

  Skim reading: Get a general idea of the whole text by skimming your way through it before you get held up by the words and expressions you don't know. Can you already, at this stage, give a rough idea of what it is about?

  Scanning: Now focus in on particular items. Locate specific information and words you know already. Confirm your understanding of the main theme of the text.

  Language analysis and collection: Note down new vocabulary and phrases. Before looking up words you don't know, try to make an informed guess as to what they might mean. Write down your guess, so that you can compare it later with what you find in the dictionary.

- Stage 2 Working around the text
  Having established what the text means, you have to start developing techniques to help you learn and remember new material. It will help you to consolidate what you have learned so far by

making an English summary of the French text. This does not mean that you should try to translate the original text but that you make sure you could convey its meaning to another person who does not understand French as well as you.

- Stage 3 Working away from the text
  Now see if you can do a summary in French. Use as much of the original vocabulary of the text as you wish, as long as you don't just copy out chunks with no real understanding. This is a first chance to start using some of the newly-learned vocabulary. Eventually, you will write an essay on the subject, but a way of training for this is writing short paragraphs (not more than 50–60 words), where you state the pros and cons of an issue raised in the text.

Developing writing skills

Who? Why? How?

Before you begin to write anything in French, whether it be in class for your teacher, in the examination room, for your boss at work or for personal/social reasons, you will need to decide on a number of things:

- Your purpose. Why are you writing? To inform? To persuade? To summarise?
- Your audience. Your teacher? Your boss? A friend? A fictional person in an examination situation?
- Your form. Are you writing a letter? A fax? A summary? An essay? A report?
- Your style. Will it be formal? Informal? Technical?

Reading

Your ability to adapt to various audiences, forms and styles will depend to a great extent on the breadth and depth of your reading. It is important, therefore, to read a wide variety of documents, such as:

- formal letters (e.g. business letters),
- informal letters (to friends, family, etc.),
- faxes,
- reports,
- newspaper articles,
- newspaper editorials (which are really essays),
- descriptions (e.g. travel brochures, Michelin guides),
- advertisements (especially long persuasive ones),
- technical descriptions (e.g. *modes d'emploi*, car advertisements).

Pre-writing

Any important piece of writing needs planning. Whether you're writing a summary from a piece of French or a full-length essay, you should go through a number of steps:

- read the exam question, fax, letter, etc., at least twice,
- look at any instructions or exam rubrics at least twice,
- make notes,
- plan sections/paragraphs,
- write a draft,
- check, alter, rewrite,
- write your final version.

Writing preliminary notes

To jog your mind into action, use headings to help you, such as:

Nature/Environnement – Économie – Travail – Politique – Société – Histoire – Géographie – Science – Technologie – Arts – Culture.

Other topic titles may help you. Try to find titles of your own.

Planning sections

Nearly every kind of written text needs an introduction, a middle and a conclusion. If you're replying to a letter, you will need to:

- acknowledge receipt of the letter and thank the writer (introduction),
- respond to the points made (middle),
- close the letter appropriately (conclusion).

Essay writing

If you're writing an essay, you will need to:

- introduce the topic or problem (introduction),
- make various points (possibly for and against) (middle),
- reach a conclusion or leave a question in the air (conclusion).

When writing an essay you should remember that there are two principal types.

1. The argumentative essay. In this type you argue the case for or against a particular viewpoint.
2. The discursive essay. In this type, you examine various aspects of a situation or problem and draw a conclusion.

Here is one way to write an argumentative essay.

- Present all the points in favour of a particular argument (the thesis).
- Present all the points against that argument (the antithesis).
- Write a section which presents a viewpoint somewhere between the two – the synthesis.

Your essay will, of course, need an introduction and a conclusion.

The second possible way in which to present an argumentative essay is to write a positive point followed by its antithesis, a second positive point followed by its antithesis, and so on. The drawback to this manner of presentation is that it is difficult to present a synthesis of the points made for and against.

With the discursive essay, the technique is somewhat different.

- Do not use the confrontational structure of the argumentative essay.
- Range over a number of aspects of a topic, while keeping a central theme clear to yourself and your reader.
- Look at various aspects of your topics (e.g. advantages and disadvantages, pros and cons).

Paragraphing

- For each paragraph, you should decide the main point to be made and write a topic sentence, i.e. a lead sentence from which all the other sentences of the paragraph will follow, e.g. *Les raisons de cette crise sociale sont multiples*.
- Pick out the support material from your notes which will back up or exemplify what the paragraph is attempting to convey. You may wish to add any or all of the following:
  - examples (*par exemple, notamment, dont le meilleur exemple est*),
  - facts (*la région parisienne est une des plus polluées de France*),
  - reasons (*c'est en raison de... que...*),
  - anecdotal evidence (*selon mon père*),
  - concrete details (*en examinant de plus près ce problème on trouve*),
  - opinions (*à mon avis, pour moi, il me semble que*).

Transition and articulation

Remember that an essay is a very formal piece of work and it is important that its structure should be clearly visible to the reader. Show the logical links.

- Listing reasons or arguments: *En premier lieu... En second lieu... En troisième lieu...* You may, of course, wish to make further points. To do this you can use any of the following: *ajoutons/ajoutez à cela, après cela, puis*. Other terms which will enable you to add arguments (and thus add emphasis) are *d'ailleurs, par ailleurs, de surcroît*, all of which mean 'moreover', 'in addition'. To close, you could begin your final paragraph with *en dernier lieu* (finally) or *pour terminer* (in conclusion).
- Comparing or balancing: *D'un côté* (on the one hand) *de l'autre côté* (on the other). You can also use *d'une part... d'autre part* (on the one hand ... on the other) to balance two halves of a sentence expressing a comparison or opposition.
- Opposition and contrast: *par contre* (on the other hand), *en réalité* (in fact). Other links which express opposition and contrast are: *à la différence de* (unlike), *alors que* (whereas), *au contraire* (on the contrary, on the other hand), *en fait* (in fact), *en revanche* (on the other hand), *mais* (but), and *par contre* (on the other hand). Note that *alors que* needs a whole clause with it. Note also that these links may bind sentences across paragraphs, rather than just across parts of sentences, especially in an argumentative essay in which the pros and cons of a case are being put.
- Giving examples: *par exemple* (for example), *notamment* (in particular), *dont le meilleur exemple est certainement* (the best example is undoubtedly).
- Introducing en element of restriction: *pourtant* (however), *cependant* (however). Other elements which can be used to restrict what has been said are *néanmoins* (nevertheless), *toutefois* (however) and *de toute façon* (in any case).

Drafting

Ideally, you should write a rough version of your text. Follow this sequence when drafting:

- draft,
- read,
- think,
- add/remove/change.

Then go through the following checks.

- Check for purpose. What was the original purpose of writing? Have you fulfilled that purpose?
- Check for content. Have you covered (a) all the points that you've been asked to make, (b) all the points that you wanted to make? Does each

paragraph have a topic sentence? Do the other sentences follow logically and support it?

- Check for style. Is the piece formal or informal? Have any stray expressions in the wrong style slipped in (e.g. informal style in a business letter)? Would altering the order of words, sentences or paragraphs improve the clarity?

Check for accuracy. Go through your work sentence by sentence and check the obvious categories:

- subject–verb agreement,
- noun/pronoun–adjective agreement,
- tenses,
- correct tense after *si* and *quand*,
- *avoir* or *être* with compound tenses,
- agreement of past participles: verbs with *être* and preceding direct objects,
- pronouns: generally before verbs,
- relative pronouns: *qui*, *que* or *dont*,
- adverbs: generally after verbs (auxiliaries in compound tenses),
- genders,
- spelling,
- accents, cedillas, punctuation.

Writing up the final version

Take as much time as time allows. If you've word-processed your work, check that you've put in all the accents. If you can't do it on the machine, do it by hand on the hard copy!

When you've finished check again for: spelling, accents, cedillas and punctuation.

Written course work

Course work usually consists of a number of pieces of work completed over the period leading to AS and A Level. A choice is usually given, such as one piece of 2000 words or two pieces of 1000 words. There may be deadlines for particular pieces to be completed.

Much of what has already been said about the essay will apply to course work. The careful planning, the structuring, the use of paragraphing, the use of logical and chronological links, quotations and the conclusion – all these must receive the same attention as is required for the essay set in a final examination paper. Course work, however, is not merely an extended essay, it has certain requirements and techniques of its own.

Choosing your topic

Course work enables you to take control of the topic on which you are writing, in that you are not pinned down by an Examiner's choice of a particular title. Certain Boards require that course work topics be chosen from the list of topics prescribed for other parts of the examination, and it is now a requirement that all course work should be based in Francophone culture. It is also the case that some Boards will not allow you to offer the same subject in course work as you offer in other parts of the examination, e.g. the oral. Check to see.

Your choice of topic(s) should certainly be made in conjunction with your teacher, since it is usually teachers who mark the work before it is moderated by the Exam Board.

Using your sources

You must first establish the area which you wish to research. This may be only a vague notion at first, such as 'something to do with marriage and divorce in France' or 'childhood' or, if you fancy something literary, 'the childhood memoirs of Marcel Pagnol'. You might like to think about a comparison – 'Ugolin as portrayed in the books and on the screen'. This is your starting point.

Read and absorb anything and everything on your chosen area, trying always to use French sources. Radio, TV and films should also form part of your research diet. Keep notes of what you read/see/hear, and write down anything that strikes you. You could ask your teacher to show you old AS and A Level papers, as these are often a good stepping-off point for an idea, or for the themes in a writer's work.

Choosing a title

The title is all-important. You will be judged by the way your course work corresponds to it. It is best not to choose generic titles such as *Les voitures* or *La condition féminine* as they lack any direction and even when you've finished your 1000 words, you cannot possibly have said all that there is to say.

The most productive way to tackle course work is to choose a title which asks a question, e.g. *Quel est l'avenir de la voiture en France?* or *La condition féminine a-t-elle vraiment changé dans la société française?* If you choose your title well and work closely with it, both your teacher and the Moderator will be able to determine if you've answered the question that you set yourself.

Literary topics

Examination candidates often choose literature as the basis for their course work. While literary topics do have their difficulties, they score highly in one respect – students can have direct experience of authors' works and have a personal reaction to them, whereas their experience of Third World poverty, abortion and AIDS is most likely to be second-hand. Don't, however, re-tell the story of a literary work. Write *about* the work, don't re-write it. Concentrate on characters, themes, atmosphere, or ideas that appear in the book.

Drafting and writing up

Unlike essays set in final examinations, course work has the advantage of having a 'dry run'. It is usual for your teacher to see a preliminary draft of the work and to comment on it, though specific corrections are forbidden by the Boards' regulations. This enables you to produce a fair copy which shows you to your best advantage.

Whatever form you choose, letter, diary entry, newspaper report, etc., structure your work carefully as you write – every form needs a beginning, a middle and an end! All mark schemes award points for structure and development and the steps in your argument should be clearly visible to your reader.

It is often the case that you will want to compare two things/characters/events. If you do this, remember to compare (find similarities) and contrast (find differences), and then evaluate. Is one thing more advantageous, efficient, unfair, useful? Is one character more trustworthy, devious, despicable, admirable? What effect does this comparison and contrast have on your subject matter? Evaluation and judgement are the key words here. Draw a conclusion.

Linguistic accuracy

Course work is not the area in which linguistic accuracy is tested. There are, of course, marks awarded for accuracy, but these are far outweighed by marks awarded for content, structure and development, knowledge of subject, range of expression and similar categories. Nevertheless, marks are available for accuracy and you should take advantage of this. After your first draft, your teacher may well comment "Have a good look at agreements between nouns and adjectives", or "Check your irregular verbs in the present tense. How many *je* forms end in *-t*?" (The answer is, of course, none!). Check your spellings, too. These should include the names of characters if you are engaged on a literary piece. It is surprising how many candidates cannot spell the names of characters and, worse, even the title of the book!

Presentation

Presentation of the final piece is important. You cannot expect busy teachers and Moderators to have a good impression of your work if it looks poorly presented. It is worthwhile taking the time and trouble to present your work in word-processed form.

You can, of course, add to the presentation of your work with photographs, illustrations, maps and tables. No marks are awarded for presentation, but since you will eventually get your work back, it should certainly be well-presented for your own satisfaction!

Word count

All course work has word limits. This is not a means of restricting candidates' flow and creativity. It simply ensures that like is being compared with like, and that candidates are being judicious in their use of their sources. You can't, for instance, compare a piece of 1000 words with another on the same topic of 5000. Examination Boards tolerate a certain excess of words over the given limit, but there are warnings to candidates that they will lose marks if they exceed the very upper limit. There is no lower limit set on the length of pieces of course work, but if you don't write much, you can't say much. Write up to the upper limit.

Quotation and plagiarism

Quotation forms an important part of the art of essay writing. It is quite legitimate to quote pieces from other authors in support of your case and to use illustrative fragments of text from literary works to give authority to your assertions. You must, however, acknowledge that these are quotations from other authors and are not your own work. Put quotation marks around them and write the name of the author and the work.

You will be required to state on a covering document that all the work presented is your own. If you quote from other authors without acknowledging this you would be guilty of plagiarism, and the Board could exact penalties ranging from withdrawal of marks to complete disqualification from the A Level examination.

Revision and the examinations

Revision is one of the most important parts of your course, and it should be planned into your programme of study. Revision can take place at any time during the year, but the period leading up to A Level is, of course, the time in which you should concentrate your efforts.

What should I revise?

It is essential to be aware of what the examinations will test, and so you should study carefully the syllabus for the particular Examination Board. Your teacher will have a copy of this and further copies may be ordered from the Board. The syllabus will tell you not only what will be tested, but also how it will be tested. You should look principally at the following things:

- Areas of Experience to be examined (e.g. Work and Leisure),
- topics to be examined (e.g. *L'influence du mouvement écologiste en France*),
- grammar,
- types of test.

How should I revise?

The best way to revise is to divide your revision into topics. Within each topic you can revise your skills in different ways.

Reading. Re-read the texts that you have used in your course. Go over any exercises that were attached to them. Check any wrong answers. Ask your teacher for help to correct them if necessary. Read one or two new texts and extract vocabulary from them. Try re-reading a short text twice and then cover all but the first sentence. Can you remember the next sentence? Check it, covering the third sentence, and so on. If you want to give yourself a clue, uncover the first word of the next sentence. Do the whole text twice. You'll be surprised how much you can remember. Read as many different types of text as possible – newspaper articles, business letters, recipes, instructions, poems, short stories, novels.

Vocabulary. If you have used the vocabulary-learning method suggested in ***Prévisions***, try sorting your cards into topics. Test yourself, going from French to English, and then from English to French. If you have a topic-based vocabulary book such as MGP's *Advanced French Vocabulary*, find your topic, cover up the English and check to see if you know what the French means. Then cover the French and look at the English. Can you give the French? Try working with a partner, testing each other, or recording a column of words onto tape and re-playing them, giving the corresponding English or French. Remember, though, that vocabulary is best learned in context. Texts show you how vocabulary is used.

Grammar. Each unit of ***Réalisations*** deals with specific points of grammar. Re-read the *Points-grammaire* and look up the relevant section in the grammar section (pages 121–159). If you have a full grammar of French such as *French Grammar and Usage* (Edward Arnold), check the grammar point there, too. There are ***Feuilles de grammaire*** in the **Teacher's Resource Book**. If you have not used these, try them now. You could also browse through the grammar section at the end of this book and mentally tick off the sections that you know. Go back to those that you're unsure of. Ask your teacher to explain anything that you don't understand. You can also look at texts and continually ask yourself the question "Why?": "Why is there a subjunctive here?", "Why doesn't this colour adjective agree with its noun?", "Why is there a *ne* here, but no *pas*?". If you can't answer the question, ask your teacher.

Listening. This is the hardest skill to revise, as it's really something that should be taking place all the time. Listen to the ***Écoutes*** for each unit of this book without looking at the exercises. This will help your gist comprehension. Go back over the tape with the exercises. This will help with listening for detail. Listen regularly to the radio (*France Inter*, *Europe 1* or *RTL*. All can be picked up easily on long wave.) If you have satellite TV, watch French broadcasts. Try closing your eyes – can you still understand without the visual support?

Check, too, those things which influence the speaker's pronunciation, and hence your understanding. For instance *six représentants* will be heard as *si représentants* – don't be fooled!

Writing – Spelling. To test spelling, try the following. (1) Record a number of words from your vocabulary cards and put the selected cards aside. Half an hour later, play back the tape and write down the words that you hear. Check them against the cards. (2) Ask a partner to read words aloud to you. Spell them aloud (in French!). Your partner puts aside any words that you get wrong, reads them back to you and tests you again on them later. (3) Make a list of any words that you regularly mis-spell.

Writing texts. Anything that we write is a text, from a sentence to a novel. Try the following:

- Copy out short paragraphs of French. Underline any words that give you problems.
- Re-draft early pieces of work from your programme of study, taking note of your teacher's corrections.
- Keep a diary in French for a while – this is an excellent way of practising your past tenses. Also, put in entries saying what you hope to do, intend to do, will do, etc. This gives you opportunities to practise future tenses and constructions using verbs followed by infinitives.
- Draft answers to essay questions. This gives you practise in thinking about essays, as well as actually writing down the main points in French.
- Listen to some of the recorded passages from ***Réalisations***. Write down a few lines of what you hear. Your teacher will have the transcript and you can check your answers.
- Finally, the secret key to writing is – reading. Read, read, read!

When should I revise?

In the run-up to the examinations, you will need to draw up a long-term revision plan. If you take a two-month period, you can divide this into eight weeks and plan week by week. You should revise both knowledge and skills each week. You will have other subjects to revise as well, so it is important to draw up a schedule of days when you will revise French. Thus a week's revision might look like this (see below):

Draw up a blank planning grid like this – if possible on a computer, and make enough copies for the various topics. The topic headings in ***Prévisions*** and ***Réalisations*** form a good guide. Fill in what you can, and if you're short of material to revise, ask your teacher to suggest a text or tape that would fit. Remember that there is additional study material in the **Teacher's Resource Books** for both ***Prévisions*** and ***Réalisations***.

How long should I revise for?

Nobody works well if they over-work. Divide your revision periods into manageable sections. No more than half an hour for vocabulary revision. No more than forty-five minutes for reading. No more than an hour for writing. Take a break and relax. Stick to your schedule. Get back to work promptly.

Can anything else help me?

Yes. Work steadily and take time to relax. Don't try cramming at the last minute. Get plenty of exercise and balance work and play. On the night before your exam, relax and go to bed reasonably early. On the morning of your exam, tune to *France Inter* or *Europe 1* on the radio – this will get you listening to French and tuning in to French vocabulary.

In the exam

Ensure that you have all the equipment that you need, including stationery, Walkman, spare batteries and the necessary dictionaries.

In the exam room, you may want to jot down a few grammar notes in the form of mnemonics to stop you making elementary errors, for example:
PVC = Pronouns before Verbs in most Cases;

Topic: L'environnement

Week ending ...	Listening	Reading and learning	Speaking	Writing
Monday	Today's news: Radio or TV – listen for environmental issues	Environment article from *Le Figaro*. Pick out new vocabulary	Prepare A Level oral paper	Write 100 word summary of *Le Figaro* article
Wednesday	A Level listening paper	Vocabulary list on environment; grammar of passive	Practise A Level oral with *assistante*	Write letter from A Level paper
Friday	Dialogues/ talks I have recorded – replay	News on the Internet; search for *environnement*	Record an unrehearsed minute on topic	Write as many words from Wednesday's list as possible
Saturday	Song and exercises	Go over texts in course book	–	Plan A Level essay

DRAPERS VAN MMT = the verbs which take *être* in the compound tenses;
PDO = preceding direct object rule.

When you're ready, read the paper through carefully. Ensure that you've understood exactly how many questions you have to answer and which sections you have to cover. Divide up your time, allowing a proportionate amount of time for each question. If you know that you can answer one question easily and another with more difficulty, allow more time for the second.

Read each question very carefully – then read it again. When you're happy that you've understood what you have to do, begin.

Remember that anything like a summary or an essay must be structured. Check carefully that you have included all the major points that you want to make.

In the listening tests, if a word eludes you, try to make a rough transcription then comb through the relevant part of the dictionary to see if there's a word that matches your approximation.

Above all, take things steadily.

When you've finished, check to see that you've done all that was necessary, and that you haven't omitted anything, such as leaving out a paragraph of your rough notes in the final version!

Grammar

Nouns (*les noms*)

01 The noun (*le nom*)

Common nouns are written with an initial small letter, proper nouns with a capital letter. Note that days and months in French are not written with a capital.

02 Gender (*le genre*)

French nouns are classified into two genders – **masculine** and **feminine**. In general, the grammatical gender of animate, i.e. living, nouns corresponds with the sex of the creature named, i.e. male animals are masculine and female ones are feminine.

03 Rules for recognising gender

The following will help you to learn which nouns are masculine:

Example	Explanation	Some exceptions
l'ordinateur, le fils, le dragon	Most nouns ending in a consonant	*chair, dent, faim, nuit, paix, part, plupart, soif, voix*
le fermier, le soldat	Most males	*la victime*
le facteur, le technicien	Male agents ending in *-eur* and *-ien*	
un chêne = an oak tree	Most trees and shrubs	*une aubépine* = hawthorn; *la ronce* = bramble; *la vigne* = vine
Also: Points of the compass; metric weights and measures; days, months and seasons; names of countries not ending in *-e* mute; all languages.		

04 Masculine nouns

Many masculine nouns may be recognised by their endings.

Ending	Example	Exceptions
-age	*le fromage, le chômage*	*cage, image, nage, page, rage*
-é	*un employé*	Not abstract nouns in *-té* or *-tié*: *la bonté, une amitié*
-eau	*un chameau*	*l'eau, la peau*
-ème	*le problème*	*la crème*
Also (with some exceptions): *-acle, -ail, -al, -asme, -at, -aume, -ège, -eil, -el, -ent, -er, -ès, -et, -eur, -i, -ice, -ier, -ige, -isme, -ment, -o, -oi, -oir, -oire, -on, -ot, -ou, -tère.*		

05 Feminine nouns

The following will help you to learn which nouns are feminine:

Example	Explanation	Exceptions
la femme, la fille	Most females	*écrivain, médecin, professeur* (females)
l'honnêteté	Most abstract nouns	*le vice*
la physique, la philosophie	Most branches of science and learning	*le droit* = law
la France	Countries ending in *-e* mute	

06 Many feminine nouns may be recognised by their endings

Ending	Example	Exceptions
-ée	*une année, la pensée*	*lycée, mausolée, musée*
-ence	*la résidence*	*le silence*
-ette	*la cigarette*	*le squelette*
Also (with some exceptions): *-ade, -aie, -aille, -aine, -aison, -ance, -ande, -anse, -elle, -ense, -esse, -eur* (abstract), *-ie, -ière, -ille, -ine, -ion, -ise, -ité, -itié, -té, -tude, -ue, -ule, -une, -ure.*		

07 Feminine nouns derived from masculine nouns

Many feminine nouns may be derived from masculines by following certain rules:

Masculine type	Change	Feminine form
marchand, bourgeois	Add *-e*	*marchande, bourgeoise*
chameau	Change *-eau* to *-elle*	*chamelle*
gardien, Breton	Change *-n* to *-nne*	*gardienne, Bretonne*
châtelain, voisin	Add *-e*	*châtelaine, voisine*
cadet, muet	Change *-t* to *-tte*	*cadette, muette*
candidat, idiot	Add *-e*	*candidate, idiote.* Except: *chatte*
boulanger, fermier	Change *-er* to *-ère*	*boulangère, fermière*
époux, chanceux	Change *-x* to *-se*	*épouse, chanceuse*
Juif, veuf	Change *-f* to *-ve*	*Juive, veuve*
menteur	Change *-eur* to *-euse*	*menteuse.* Except: *mineure*
acteur	Change *-teur* to *-trice*	*actrice*
maître, prince	Change *-e* to *-esse*	*maîtresse, princesse* N.B. *duchesse*

08 Nouns with two genders

Some nouns have identical sound and appearance, but their meaning varies according to their gender:

Masculine	Meaning	Feminine	Meaning
un aide	assistant	*une aide*	assistance
le critique	critic	*la critique*	criticism
le livre	book	*la livre*	pound
le manche	handle	*la manche*	sleeve; *la Manche* = the English Channel
le mémoire	memorandum	*la mémoire*	memory

In the following examples, the masculine meaning is given first, then the feminine: *mémoire*: memorandum, memory; *mode*: manner, fashion; *page*: page-boy, page; *pendule*: pendulum, clock; *politique*: politician, policy; *poste*: job, post-office; *somme*: nap, sum; *tour*: turn, tower; *voile*: veil, sailing.

09 Plurals (*le pluriel*)

French nouns form their plurals in the following ways:

Singular	Change	Plural	Comment
le livre, la fille	Add *-s*	*les livres, les filles*	This applies to **most** nouns. The *-s* is not pronounced
le fils	No change	*les fils*	The *-s* is pronounced in both singular and plural
la noix = nut	No change	*les noix*	
le nez	No change	*les nez*	
un os	No change	*des os*	The *-s* is pronounced in the singular, but not in the plural
*un anim**al***	Change *-al* to *-aux*	*des anim**aux***	Except: *bals, carnavals, festivals*
*un tuy**au**,* *un bat**eau**,* *un chev**eu***	Add *-x*	*des tuy**aux**,* *des bat**eaux**,* *des chev**eux***	Except: *un pneu, des pn**eus***
*un tr**ou***	Change *-ou* to *-ous*	*des tr**ous***	Except: *bijoux, cailloux, choux, genoux, hiboux*
*le trav**ail***	Change *-ail* to *-aux*	*les trav**aux***	Except: *détails, éventails, portails*. Also *l'ail* (garlic) – *les aulx*

10 The definite article (*l'article défini*)

The definite articles have the form *le* (masculine), *la* (feminine), *l'* (both genders before a vowel or *h* mute) and *les* (plural, both genders).
Note: The *-s* of the plural *les* will not be pronounced before a consonant, but will liaise with a following vowel and be pronounced as *-z*: *les‿animaux, les‿observations*.
The following contractions occur: *à* + *le* = *au*; *à* + *les* = *aux*; *de* + *le* = *du*; *de* + *les* = *des*.

Uses

Example	Explanation
Les Français aiment **le** *vin*	Generic use. 'Frenchmen in general' and 'wine in general'
Je n'ouvrais **les** *yeux qu'à 7 heures*	*Les* shows *yeux* belong to speaker
Le *dimanche on allait à l'église*	'On Sundays.' N.B. *Dimanche* = on Sunday
25 francs **le** *kilo, 60 francs* **la** *bouteille, 75 francs* **le** *mètre, 5 francs* **la** *pièce*	Corresponds to English 'per' or 'a'
La *France n'accepte pas cette décision*	The article forms part of the name of countries, provinces and continents
Tu aimes **le** *français?*	The article is used with languages
L *'oncle Jules lisait le journal*	The article is used with titles
Le petit *Paul se couchait tard*	A proper noun is qualified (by *petit*), and so the article is required
J'ai mal à **la** *tête; Il a* **les** *yeux bleus;* **La** *semaine dernière; Je n'ai pas* **le** *temps; Partir* **le** *premier*	These are idiomatic expressions. The article is either omitted in English, or another expression is used

11 The indefinite article (*l'article indéfini*)

The indefinite article has the forms *un* (masculine), *une* (feminine) and *des* (plural, both genders).

Example	Explanation
J'ai acheté **une** *nouvelle voiture*	This corresponds to English use: 'a new car'
Elle a agi avec **un** *grand courage*	The abstract noun *courage* is qualified by *grand*. The article is required
Il a mangé **une** *seule pomme*	'He ate only **one** apple'. The adjective *seul(e)* is added to give emphasis

12 The partitive article (*l'article partitif*)

The partitive article indicates an indeterminate number or amount of the noun to which it is attached. It often corresponds to 'some' or 'any' in English. It has the following forms: *du* (masculine), *de la* (feminine), *de l'* (both genders before a vowel or *h* mute) and *des* (plural, both genders).

Example	Explanation
Il y a **des** *enfants sans morale*	This indicates an indefinite number
Il faut **du** *beurre et* **de la** *crème*	This indicates an indefinite amount
Je prends un verre **de** *cognac*	Partitive article reduced to *de* after a definite measure or quantity
En échange **de** *monnaie occidentale*; *Il y a beaucoup* **d'***illettrés*	After expressions containing *de*, the partitive disappears
De *gros villages se situent autour de la ville*	When a plural adjective precedes a noun, *des* becomes *de*
Des jeunes gens *sont arrivés*	When the partitive + adjective + noun group form a single unit of meaning (e.g. 'youngsters'), the above rule does not apply

13 Omission of the article

Nouns are usually preceded by articles in French, but there are certain cases in which the article is omitted.

Example	Explanation	Exceptions
Ambassade de France; *Histoire de France*	Equivalent to *français(e)*, and the article is dropped	
Mon père était médecin, mon frère est devenu agriculteur	*Médecin/agriculteur* are complements of *être* and *devenir*	*Mon père était un médecin célèbre*. Here *médecin* is qualified by an adjective
Hommes, femmes, enfants – tous se sont rués vers la sortie	In lists and enumerations no article needed. Note that this speeds up the rhythm	
M. Leclerc, ministre de la défense, a démissionné	Nouns in apposition (referring to) a preceding noun need no article	The article may be included for emphasis: M. *O'Callaghan, le premier ministre irlandais*
J'ai chaud; *Nous avons froid*; *Il a peur*	The noun and verb form a single unit of meaning	

Adjectives (*les adjectifs*)

14 The adjective (*l'adjectif*)

The adjective is a word which qualifies a noun, drawing attention to some feature or quality. Most agree in number (singular/plural) and gender (masculine/feminine) with the noun to which they are attached, as follows:

	Singular	Plural
Masculine	–	*-s*
Feminine	*-e*	*-es*

15 Formation of the feminine

Masculine type	Feminine	Comments
riche	*riche*	No extra *-e* is added
vert	*verte*	A previously silent final consonant is now pronounced
cruel	*cruelle*	In this and the following six types, the consonant is doubled before the *-e*
pareil, vénétien, breton	*pareille, vénétienne, bretonne*	
muet	*muette*	Except: *complet, complète; concret, concrète; discret, discrète; inquiet, inquiète; secret, secrète*
sot	*sotte*	Except: *idiot, idiote*
gros	*grosse*	Except: *ras, rase; gris, grise*
actif	*active*	Note: *bref, brève*
heureux	*heureuse*	Except: *doux, douce; faux, fausse, roux, rousse*
léger	*légère*	
flatteur	*flatteuse*	Except: *gouverneur, gouvernante*
accusateur	*accusatrice*	
majeur, mineur, meilleur	*majeure, mineure, meilleure*	These adjectives form their feminine in the regular way
aigu	*aiguë*	Feminine: *e* is pronounced

The following are some exceptions to the general rules above: *blanc, blanche; franc, franche; sec, sèche; frais, fraîche; gentil, gentille; nul, nulle; public, publique; grec, grecque; long, longue; bénin, bénigne; malin, maligne; favori, favorite.*

16 Irregular adjectives

Five adjectives have irregular forms for the feminine, and special forms in the masculine singular which are used before vowels or *h* mute. These are *beau, fou, mou, nouveau* and *vieux*. The commonest uses are *beau, nouveau* and *vieux*.

Masculine singular form before consonant	Masculine singular form before vowel/h mute	Feminine singular form
*Un **beau** garçon*	*un **bel** arbre*	*une **belle** fille*
*Un **nouveau** livre*	*un **nouvel** aéroport*	*une **nouvelle** maison*
*Un **vieux** château*	*un **vieil** homme*	*une **vieille** dame*

17 Formation of the plural

All feminine adjectives form their plural by adding *-s* to the singular. Most masculine adjectives follow this pattern, but there are some exceptions:

Singular type	Plural type	Exceptions
heureux *gros* *beau* *brutal*	*heureux* *gros* *beaux* *brutaux*	 *banal: banals; fatal: fatals; glacial: glacials* *natal: natals; naval: navals*

18 Comparison (*la comparaison*)

Equality	Superiority	Inferiority
*Anne est **aussi** grande **que** Michèle* = Anne is **as tall as** Michèle	*Anne est **plus** grande **que** Jean* = Anne is **taller than** John *Anne est **encore plus grande que** Jacinthe* = Anne is **even taller than** Jacinthe	*Michèle est **moins** grande **qu'**Anne/ Michèle n'est pas **aussi/si** grande **qu'**Anne* = Michèle is **not as tall as** Anne *Ce livre est **encore moins** intéressant* = This book is **even less** interesting

Note: Adverbs are compared in the same way: *Il travaille **plus** lentement **que** moi.*

19 Irregular comparatives

Positive	Comparative	Comment
bon *mauvais* *petit*	*meilleur* *pire* *moindre*	 *pire* has emotional overtones – *plus mauvais* is more common *plus petit* is the more common usage

20 The superlative (*le superlatif*)

The superlative is formed with the definite article *le*, *la* or *les*:

Positive	Comparative	Superlative
*Philippe est **grand*** = Philippe is **tall**	*Jacques est **plus grand*** = Jacques is **taller**	*Mickaël est **le plus grand** de la classe* = Mickaël is the **tallest** in the class. N.B. *de* not *dans*
*Anne est **intelligente***	*Sophie est **plus intelligente qu'**Anne*	*Claire est **la plus intelligente** de la classe*
*New York est **important***	*Paris est **plus important que** New York*	*Londres est la ville **la plus importante** du monde*

21 Position of the adjective

The following types of adjective are **always** placed after the noun:

Example	Explanation
le gouvernement ***français***	adjective of nationality
une table ***Louis XV***	noun used as adjective
le patrimoine ***architectural et immobilier***	adjectives joined by *et* (or *ou*)
des maisons ***assez bien bâties***	adjective modified by an adverb

In the following cases the adjective is **usually** placed after the noun:

Example	Explanation	Exception
la vie ***individuelle***	A long adjective follows a short noun	
une ville ***énorme***	Adjective expresses physical characteristics	
une chemise ***bleue***	Adjectives of colour follow	*de noirs chagrins* – metaphorical use of the adjective
Je n'étais pas une jeune fille ***gâtée***	Past participle used as an adjective agrees	*prétendu* = alleged: precedes the noun
l'herbe ***mourante*** = the dying grass	Present participle used adjectivally agrees	*soi-disant* = self-styled: precedes the noun

The following adjectives are **always** placed before the noun:

Example	Explanation	Exceptions
le ***premier*** *ministre; la* ***deuxième*** *rue à gauche*	Ordinal numbers	*François premier, Louis Quatorze*, etc.
le ***petit*** *Paul; le* ***Grand*** *Meaulnes*	Adjective qualifies proper noun	

Note: The following adjectives are usually placed before the noun: *beau, bon, excellent, gentil, grand, gros, jeune, joli, long, mauvais, meilleur, nouveau, petit, vaste, vieux, vilain.*

22 Numeral adjectives [Cardinal Numbers] (*les adjectifs numéraux*)

Note the following points:

Example	Explanation
1 000 000 = un million	*million* is a noun
1 000 000 000 = un milliard	*milliard* is a noun
2 000 = deux mille	No -*s* added (*3 milles* = 3 miles)
quatre-vingts BUT *quatre-vingt-un*	No -*s* if another number follows
deux cents BUT *deux cent un*	
vingt-deux BUT *vingt et un*	No hyphen for numbers with *et*
plus de sept, moins de dix	This is an amount, not a comparison

23 Numeral adjectives [Ordinal numbers] (*les adjectifs ordinaux*)

Example	Explanation	Exceptions
premier	Means 'first': *François premier, le premier mai*	*le vingt et unième, trente et unième*, etc.
deuxième	Means 'second' in a series – *la deuxième épisode*	*second* is second of two – *La seconde guerre mondiale*
Les trois ***premières*** *fois*	Ordinals agree in number and gender	
Six septièmes des adultes savent lire	Ordinals are used as fractions	*le quart* = quarter; *le tiers* = third; *la moitié* = half

24 Possessive adjectives (*les adjectifs possessifs*)

Subject form	Masc. singular	Fem. singular	Plural
je	*mon*	*ma*	*mes*
tu	*ton*	*ta*	*tes*
il/elle	*son*	*sa*	*ses*
nous	*notre*	*notre*	*nos*
vous	*votre*	*votre*	*vos*
ils/elles	*leur*	*leur*	*leurs*

Use	Comment
*Sophie a dit: "****Mon*** *frère s'appelle Alain, et* ***ma*** *soeur s'appelle Isabelle."*	The gender of the possessive pronoun depends on the gender of the person or object possessed
Il a passé ***sa*** *petite enfance à Jersey;* ***sa*** *soeur a passé* ***ses*** *premières années en France*	*Son, sa* and *ses* mean 'his' or 'her'. 'He spent part of his childhood… His sister spent her early years…' See note above
Ils *ont pris* ***leur*** *manteau*	*Nous, vous* and *ils* require the singular of the possessive if each person owns one object
Chacun *à* ***son*** *goût*	*Chacun, on* and *tout le monde* use the *il/elle* form of the possessive

25 Demonstrative adjectives (*les adjectifs démonstratifs*)

These have the form *ce* (masculine), *cet* (masculine before a vowel or *h* mute), *cette* (feminine) and *ces* (plural, both genders). *Ce, cet* and *cette* correspond to both 'this' and 'that' in English. The distinction is determined by context. Add *-ci* or *-là* to the noun to stress this-ness or that-ness.

Example	Explanation
Nous avons vraiment besoin de ***cet*** *aéroport*	The masculine noun begins with a vowel
Cet h*omme n'a rien fait*	The masculine noun begins with *h* mute
J'ai besoin de ***ce livre-ci****, et non pas des autres*	'I need this book, not the others.' Note: *ce livre-ci* = this book (here)

26 Interrogative adjectives (*les adjectifs interrogatifs*)

The interrogative adjective ('which?' 'what?') has the following forms: *quel* (masculine), *quelle* (feminine), *quels* (masculine plural), *quelles* (femininine plural). It is used as follows:

Example	Explanation
Quelle heure est-il? *Quel livre as-tu acheté?* *Quelles sont les raisons de cela?*	What time is it? Which book did you buy? What are the reasons for that? Note that *sont* separates noun and adjective

The interrogative adjective may be used in exclamations: *Quelle belle maison!* = What a lovely house!; *Quelle horreur!* = How horrible!

27 Indefinite adjectives (*les adjectifs indéfinis*)

Indefinite adjectives give a vague idea of quality or quantity connected with the noun to which they are linked. They agree in number and gender with the noun.

Adjective	Example	Comment
aucun	*Je* ***n'ai aucune*** *idée*	*aucun* is negative ('no', 'not a single') and requires *ne*
autre	*Il y a* ***autre*** *chose?*	'Is there anything else?'
autres	*Il y a d'****autres*** *raisons*	There are other reasons. Note: *des* is reduced to *d'* before the plural adjective
certains	***Certains*** *immeubles sont inhabitables*	The sense is 'some unspecified …'
chaque	***Chaque*** *société a ses règles*	*chaque* means each. The noun is always singular.
même	*Les* ***mêmes*** *lettres*	Note that *même* precedes the noun, and agrees
n'importe quel(le)	***N'importe quel*** *Français vous le dira*	'Any Frenchman will tell you.' The *quel* must agree with the noun: *N'importe quelle Française…*
nul	***Nulle*** *trace ne subsiste de son existence*	'No trace exists …' *Nul* agrees with the noun, and requires *ne* with the verb
plusieurs	*J'en ai parlé à* ***plusieurs*** *personnes*	'Several.' Note that *plusieurs* has no feminine form
quel que	***Quel qu'****en soit le résultat…*	'Whatever the result may be …' Note the word order. *Quel* must agree
quelque(s)	***Quelques*** *kilomètres plus loin*	'Some kilometres further on.' Usually plural
quelconque	*Il m'a donné un livre* ***quelconque***	'He gave me some book or other.' The adjective comes after the noun
tel	***Telle*** *chose arrive;* *Ils sont violents,* ***tel*** *ce voyou qui…;* *Il a appris plusieurs langues,* ***telles que*** *le français et l'allemand*	'Some such thing happens.' Very vague. 'They are violent, like the yob who' '… such as French and German.' Note the use of *que* with *tel* when giving examples
tout	***Toute*** *la classe politique*	'All politicians …' *Tout* has the sense of 'all', 'the whole'. It agrees in number and gender

Pronouns (*les pronoms*)

28 The pronoun (*le pronom*)

Pronouns replace a noun, adjective or prepositional phrase that has already been mentioned. Pronouns that replace nouns are marked for number and gender.

29 Disjunctive pronouns (*les pronoms disjonctifs*)

These pronouns can: (1) stand on their own (*Qui a fait ça? Moi.*); (2) reinforce subject pronouns (*Moi, je l'ai fait*); (3) occur after prepositions (*avec, pour, après, chez*, etc.: *On va chez toi? Non, tu peux venir chez moi.*); and (4) form the basis of the emphatic forms (*Je l'ai fait moi-même* = I did it myself). Reference in the table below is to people, but *lui, elle, eux* and *elles* can also refer to objects, ideas or concepts.

Pronoun	Example
moi	**Moi, j'aime** *le jazz*
toi	**Tu** *veux sortir,* **toi?**
lui	**Mathieu?** *Il est bête,* **lui!**
elle	**Madeleine? Elle** *est au collège*
on	**Chacun** *pour* **soi** *(on). Chacun* = one, everyone
nous	**Nous, nous** *habitons à Paris*
vous	**Vous, vous** *êtes d'accord?*
eux	**Eux, ils** *sont partis. Moi, je suis resté*
elles	**Marie et Christine – Elles, elles** *sont invitées, mais pas Hélène*

30 Direct object (DO) and indirect object (IDO) pronouns (*le pronom personnel complément*)

Direct object pronouns generally stand in place of a noun (*Tu connais Alain? – Oui, je* **le** *connais*). Except in the case of imperatives (commands), they are placed before the verb (*Tu veux ce livre? – Oui je* **le** *veux*).

Indirect object pronouns replace nouns which stand as indirect objects, i.e. which are usually preceded by the preposition *à*: *Qu'est-ce que tu as donné à Jean? – Je lui ai donné de l'argent.* They often occur in sentences whose meaning involves transference or communication.

Note that in positive commands, *me* and *te* adopt the strong form *moi* and *toi*: *Passe-moi cette serviette! Lave-toi les mains!*

Subject form	DO form	Example	IDO form	Example
je	*me*	*Il* **me** *connaît*	*me*	*Il* **me** *prête de l'argent*
tu	*te*	**Te** *connaît-il*	*te*	*Il* **te** *permet de partir?*
il	*le*	*Alain? Oui, je* **le** *connais*	*lui*	*Je* **lui** *ai offert un cadeau*
elle	*la*	*Marie? Tu* **la** *connais?*	*lui*	*Marie? Je* **lui** *ai donné un livre*
nous	*nous*	*Ils* **nous** *connaissent*	*nous*	*On* **nous** *a promis de venir réparer le robinet*
vous	*vous*	*Est-ce qu'il* **vous** *connaît?*	*vous*	*Je* **vous** *offre ce vin avec mes compliments*
ils	*les*	*Les Martin? Oui, je* **les** *connais*	*leur*	*Je* **leur** *ai donné de vieux meubles*
elles	*les*	*Les filles? Oui je* **les** *ai vues, là-bas*	*leur*	*J'ai vu Pauline et Suzanne et je* **leur** *ai dit "Bonjour"*

31 Reflexive pronouns (*les pronoms personnels réfléchis*)

These pronouns are used with reflexive verbs (*se lever*, etc.). They may be direct or indirect objects. The forms are the same for both DO and IDO.

Subject form	Reflexive form	Example
je	*me*	*Je me lève à sept heures* (DO)
tu	*te*	*Tu te promènes dans le parc?* (DO)
il	*se*	*Alain se dépêche vers la porte* (DO)
elle	*se*	*Jeanne s'est cassé le bras* (IDO)
nous	*nous*	*Nous nous sommes levés à 6 heures* (DO)
vous	*vous*	*Vous vous êtes téléphoné?* (IDO)
ils	*se*	*Ils se sont couchés de bonne heure* (DO)
elles	*se*	*Elles s'écrivent tous les mois* (IDO)

32 The pronouns *y* and *en*

The word *y* stands for a noun that was linked with *à*. The pronoun *en* stands for a noun which was linked with *de*, and means 'some', 'of it', 'of them'.

Y

Example	Explanation
Tu vas ***à Paris****? – Oui j'****y*** *vais*	Replaces *à Paris*. Means 'there'
Tu as répondu ***à sa lettre****? Oui, j'****y*** *ai répondu*	Y replaces the indirect object, since *répondre* takes *à*. Yes, I've replied to it
Tu t'intéresses ***au modélisme****? Oui, je m'****y*** *intéresse*	Y replaces *au modélisme*. Note position after *me*. See §33

En

Example	Explanation
Tu as ***des frères****? – Oui, j'****en*** *ai deux*	*En* replaces *des frères*. Note English omits 'of them'
Vous avez besoin ***de ce marteau****? – Non je n'****en*** *ai pas besoin*	'Do you need this hammer? No I don't need it.' French expression uses *de*, so the pronoun is *en*
Vous avez ***des carottes****? Bon, j'****en*** *veux deux kilos*	It is insufficient just to specify the quantity, since the noun used *de*

33 Pronoun order – statements and questions

If more than one of the pronouns occurs in a single clause or sentence they are placed in the following left-to-right order (optional negatives and past participles are included):

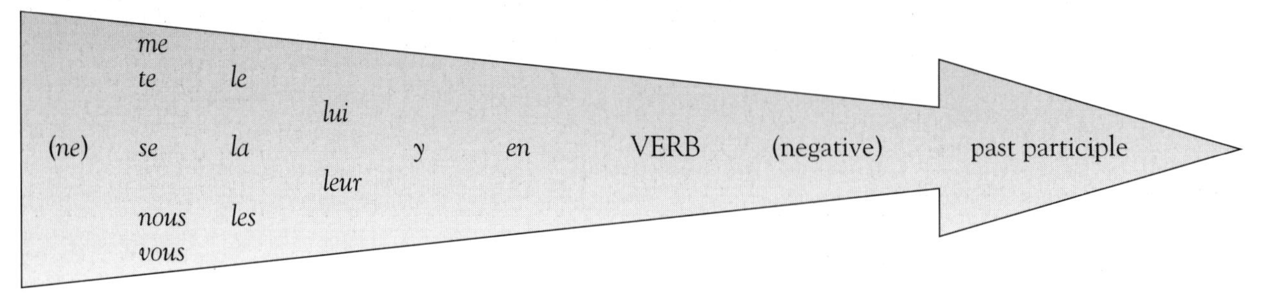

Examples: – *Vous* **lui** *avez donné* **des sandwichs***?*
– *Oui, je* **lui en** *ai donné.*
– *Le gouvernement a octroyé* **les fonds aux pauvres***?*
– *Non, il ne* **les leur** *a pas octroyés.*

Note that pronouns are placed between a verb and a following infinitive:
Examples: – *Vous pouvez offrir* **des places à des vieux***?*
– *Oui, nous pouvons* **leur en** *offrir.*

An exception is made with *faire* + infinitive, in which case all pronouns precede *faire*.
Examples: – *Vous avez fait transmettre* **ce message à tous les employés***?*
– *Oui, je* **le leur** *ai fait transmettre.*

Other verbs to which this order applies are: *écouter, emmener, entendre, envoyer, laisser, regarder, sentir, voir.*

34 Pronoun order – commands (*les impératifs*)

In negative commands, the usual pronoun order is used, i.e. pronouns before the verb (*Ne le lui donnez pas!*), but in positive commands the following order obtains:

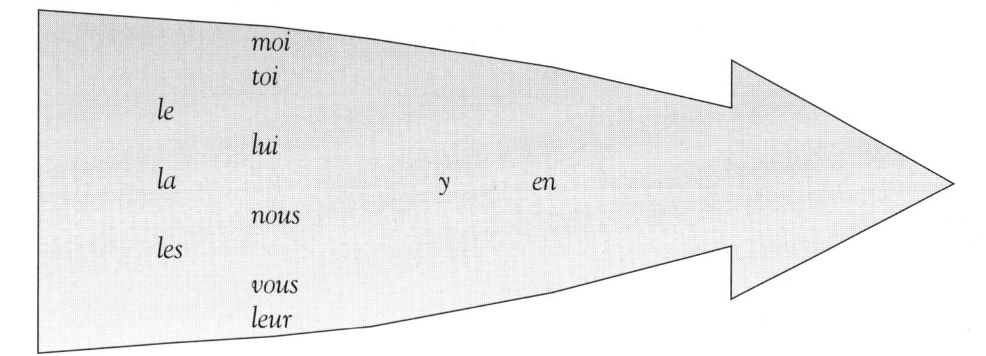

Examples: – *Passez-***le-moi***!*
– *Donnez-***les-lui***!*
– *Apportez-***leur-en***!*

Note that *moi* and *toi* shorten to *m'* and *t'* before *en*:
Examples: – *Donnez-***m'en***!*
– *Va-***t'en***!*

35 Possessive pronouns (*les pronoms possessifs*)

Possessive pronouns correspond to 'mine', 'yours', 'his', 'hers', etc. The forms of both the article (*le, la, les*) and the pronoun are dependent on the noun or nouns to which they refer.

Subject form	One object masculine	Several objects masculine	One object feminine	Several objects feminine
je	*le mien*	*les miens*	*la mienne*	*les miennes*
tu	*le tien*	*les tiens*	*la tienne*	*les tiennes*
il, elle, on	*le sien*	*les siens*	*la sienne*	*les siennes*
nous	*le nôtre*	*les nôtres*	*la nôtre*	*les nôtres*
vous	*le vôtre*	*les vôtres*	*la vôtre*	*les vôtres*
ils, elles	*le leur*	*les leurs*	*la leur*	*les leurs*

Example: – *On va prendre ma voiture?*
– *Non, je préférerais prendre la mienne.*

36 Demonstrative pronouns (*les pronoms démonstratifs*)

These have the following forms: *celui* (masculine), *celle* (feminine), *ceux* (masculine plural), *celles* (feminine plural). They are followed by: (1) *de*, to indicate possession; (2) *-ci* or *-là* to indicate position; or (3) a relative clause beginning with *qui*, *que* (*qu'*) or *dont*.

Example	Explanation
On va prendre **ma voiture***? – Non, on va prendre* **celle de** *Pierre*	*Voiture* is feminine singular, so *celle* is used. *Celle de* = the one belonging to
Il y a deux **livres** *sur la table. Passe-moi* **celui-là***!*	*Livre* is masculine, so the masculine pronoun is required. *Celui-là* = that one
Je ne trouve pas **mes clés***. Alors, je prends* **celles qui** *sont sur la table*	*Clés* is feminine plural, so *celles* is used. *Celles qui* = the ones which (subject of verb)
Il me manque toujours **un livre***. Je prends* **ceux que** *j'ai déjà trouvés*	*Livre* is masculine, so *ceux*, referring to several is used. *Ceux que* = the ones which (object of verb)
Philippe a emprunté **mes cassettes***.* **Celles qu'***il a prises sont excellentes*	*Cassettes* is feminine plural, so *celles* is used. Note *que* shortens to *qu'* before *il* (*qui* NEVER shortens!)
Tu cherches **ce couteau***? – Non,* **celui dont** *j'ai besoin est plus petit*	*Avoir besoin* uses *de*. *Dont* is the relative pronoun replacing *de*

37 The pronoun *ce*

Example	Explanation
Qu'est-ce que **c'***est? –* **C'***est un verrou*	Ce is used to introduce a definition (or request one)
C'*est* **moi**; **c'***est* **nous**; **ce** *sont* **eux/elles**	With emphatic pronouns, *est* follows *ce*, except for *eux/elles*
Ce *sont des organisations syndicales* (définition)	If the complement of *être* is plural, *sont* follows *ce*, not *est*
Ce qu'*il faut, c'est partir*	Ce is the subject pronoun in a relative clause beginning with *que*
Ce qui *était bien, c'était le match*	Ce is the subject pronoun in a relative clause beginning with *qui*
Je ne me rappelle pas **ce dont** *il parlait*	Ce is the subject pronoun in a relative clause beginning with *dont*

38 Relative pronouns (*les pronoms relatifs*)

Relative pronouns stand at the head of a clause which refers to a noun and tells us more about that noun.

Example	Explanation
Georges Pompidou – un président **qui** *aimait tout ce qui était jeune et neuf*	*qui* is the subject of the verb *aimait*, and refers back to *un président*
L'homme **à qui** *je parlais*	*qui* may follow a preposition (*à*, *avec*) when it refers to a person
Voici le livre **que** *tu cherchais*	*que* is the object of *cherchais* and refers back to *le livre*
Il y a des usines de produits chimiques **dont** *on a peur*	*avoir peur* takes *de*, so the relative pronoun is *dont*, not *que*
J'ai rencontré hier l'homme **dont** *le fils a été kidnappé*	*dont* here means 'whose'
La ville **où** *j'habitais n'était pas très jolie*	*où* means 'where' or 'in which'. See also *lequel* below
Voici ce à **quoi** *je pensais*	*quoi* refers to no specific noun. It means 'what', and follows prepositions

It is usual to place the relative pronoun as close as possible after the noun to which it refers (its antecedents). Thus *un président qui…*; *le livre que…*; *des usines de produits chimiques dont…*

In relative clauses involving *que*, *dont* or a form of *lequel* used with a preposition (see §39), inversion of subject and verb sometimes takes place: *Paris a des quartiers neufs que côtoient des quartiers anciens.* This keeps the longer elements at the end of the sentence (see also §39).

39 Interrogative pronouns (*les pronoms interrogatifs*)

Example	Explanation
Qui *a fait cela?*	*Qui* is used to refer to people
Que *pensez-vous de cela?*	*Que* means 'what'
En **quoi** *la France est-elle différente?*	After a preposition, use *quoi*, not *que*

Lequel, etc. = 'Which one(s)?' These pronouns have the forms *lequel* (masculine), *laquelle* (feminine) *lesquels* (masculine plural) and *lesquelles* (feminine plural).

Voici deux **livres** (m.)	**Lequel** *voulez-vous?* = Which one do you want?
J'ai deux **cassettes** (f.)	**Laquelle** *allez-vous prendre* = Which one …?
Il y a plusieurs **hommes** (m.) *ici*	**Lesquels** *cherchez-vous?* = Which ones …?
Il y a plusieurs **tasses** (f.) *ici*	**Lesquelles** *sont à vous?* = Which ones …?

Note: These pronouns are also used as relative pronouns after a preposition: *La ville dans laquelle j'habite…*; *Le couteau avec lequel il a été tué…*

40 The indefinite pronoun (*le pronom indéfini*)

In the following examples, indications are given for the form of the verb when the pronoun is the subject.

Example	Explanation
On *a la possibilité de s'inscrire*	*On* means 'you', 'people', 'one'
Quiconque *a voyagé peut vous le dire*	'Anybody who …' The pronoun takes the third person singular of the verb
*Les opinions d'***autrui** *lui importent*	'Other people.' Always used with a preposition
On attend deux cents invités. **Plusieurs** *sont déjà arrivés*	'Several (of them).' It has no feminine. Third person plural verb
Je connais toutes les capitales d'Europe. **Aucune** *ne vaut Paris*	'None …' The pronoun takes the gender of the noun to which it refers
Un des hommes est parti, **l'autre** *est resté*	'The other.' Third person singular of the verb
Les uns *avaient de l'argent,* **les autres** *étaient complètement démunis*	'Some … (the) others.' Third person plural verb
Certains *disent que c'est vrai*	'Some people.' Third person plural verb
Ici il y a beaucoup de cafés. **Chacun** *a son charme*	'Each (one).' The pronoun takes the gender of the noun to which it refers
On cherche des informations. **Nulle ne** *se présente*	'None.' The pronoun takes the gender of the noun to which it refers, and *ne*
Quelqu'un *attend dehors*	'Somebody', 'someone.' Third person singular of the verb

Example	Explanation
Mon père collectionne les livres de Daudet. J'en ai ***quelques-uns*** *aussi*	'Some.' The pronoun takes the gender of the noun to which it refers
Il a **tout** *abandonné*	'Everything.' Note its position in a compound tense
Qui que ce soit/N'importe qui *peut le faire*	'Anybody.' Third person singular of the verb
Quoi que ce soit/N'importe quoi *fera l'affaire*	'Anything (at all).' Third person singular of the verb

The verb (*le verbe*)

Simple (single word) tenses (*les temps simples*)

41 The present tense (*le présent*)

There are three major groups of regular verbs (*-er*, *-ir*, *-re*), some smaller groups with irregularities and a number of irregular verbs. In the majority of cases endings are added to a stem formed from the infinitive. Irregular verbs are dealt with in the irregular verb table (see pages 157–159). The three major groups are as follows:

Subject	*donner*	*finir*	*vendre*
je	*donn**e***	*fin**is***	*vend**s***
tu	*donn**es***	*fin**is***	*vend**s***
il, elle, on	*donn**e***	*fin**it***	*vend*
nous	*donn**ons***	*fin**issons***	*vend**ons***
vous	*donn**ez***	*fin**issez***	*vend**ez***
ils, elles	*donn**ent***	*fin**issent***	*vend**ent***

A small group of *-ir* verbs have *-er* endings in the present tense. These are *cueillir*, *accueillir*, *ouvrir*, *couvrir*, *découvrir*, *recouvrir* and *offrir*. Thus: *ouvrir – j'ouvre*, *tu ouvres*, etc.

In the singular forms, a second group of *-ir* verbs loses the consonant preceding the *-ir* ending. This is restored in the plural forms:

Singular subject	*sortir*	Plural subject	*sortir*
je	*sor**s***	*nous*	*sort**ons***
tu	*sor**s***	*vous*	*sort**ez***
il, elle, on	*sor**t***	*ils, elles*	*sort**ent***

This group includes: *mentir*, *partir*, *(se) sentir* and *servir*.

A number of verbs have alterations within their structure. In these verbs, the *je*, *tu*, *il/elle/on* and *ils/elles* forms share a feature in common, while the *nous* and *vous* forms resemble each other in a different way and are more like the infinitive.

Type	Infinitive	*je* form	*nous* and *vous* forms
1	*jeter*	*je je**tt**e*	*nous je**t**ons, vous je**t**ez*
2	*acheter*	*j'ach**è**te*	*nous ach**e**tons, vous ach**e**tez*
3	*espérer*	*j'esp**è**re*	*nous esp**é**rons, vous esp**é**rez*
4	*envo**y**er*	*j'envo**i**e*	*nous envo**y**ons, vous envo**y**ez*
	*essu**y**er*	*j'essu**i**e*	*nous essu**y**ons, vous essu**y**ez*
	*pa**y**er*	*je pa**i**e*	*nous pa**y**ons, vous pa**y**ez*

Verbs of these types include:

Type	Infinitive
1	*(s') appeler, épeler, étinceler, feuilleter, (se) rappeler, rejeter, renouveler*
2	*achever, amener, crever, emmener, geler, mener, peser, (se) promener, ramener*
3	*céder, compléter, délibérer, exagérer, excéder, (s') inquiéter, libérer, refléter, répéter, sécher, suggérer, tolérer*
4	*coudoyer, employer, (s') ennuyer, essayer, nettoyer, (se) noyer, (se) tutoyer, (se) vouvoyer;* (N.B. in this group *je paye, j'essaye* and related forms are found)

In order to indicate that *-c-* and *-g-* are pronounced as soft consonants, some verbs have a modified *nous* form. These are as follows:

Infinitive	*nous* form	Similar verbs
manger	*nous mangeons*	*bouger, partager, protéger, voyager*
commencer	*nous commençons*	*avancer, forcer, lancer*

42 Use of the present tense

Example	Explanation
*Pauvreté n'**est** pas vice*	A universal truth, valid for all time
*Les Parisiens **sortent** de plus en plus de Paris*	This is happening now
*D'habitude, je **passe** mes vacances à Biarritz*	A regularly repeated or habitual action
*En 1950 **commence** le flux des immigrés*	The use of the present makes a past event more vivid
*J'**apprends** le français depuis cinq ans*	An action begun in the past continues into the present. Note use of *depuis*

43 The future tense (*le futur*)

For most verbs, the future tense is based on the infinitive. Verbs whose infinitive ends in *-re* drop the *-e* before endings are added. All verbs in the future tense share the same set of endings.

Regular verbs

Subject	*donner*	*finir*	*vendre*
je	*donnerai*	*finirai*	*vendrai*
tu	*donneras*	*finiras*	*vendras*
il, elle, on	*donnera*	*finira*	*vendra*
nous	*donnerons*	*finirons*	*vendrons*
vous	*donnerez*	*finirez*	*vendrez*
ils, elles	*donneront*	*finiront*	*vendront*

Irregular verbs

Some common irregular forms are as follows. Once the *je* form has been learned, all other forms follow the above pattern. Thus: *aller – j'irai, avoir – j'aurai, être – je serai, faire – je ferai*. For other irregulars, see the irregular verb table (pages 157–159).

44 Use of the future tense

Example	Explanation
L'année prochaine, j'irai en Suisse	Futurity expressed by future tense
Quand j'aurai le temps, je le ferai *(Lorsque j'aurai le temps…)*	Since both halves are in the future, a future follows *quand* or *lorsque*; cf 'When I have time' (present in English)
Si j'ai le temps, je le ferai	Main verb in future. Hypothesis (*si*) expressed by present tense
Dites-le-lui quand vous le verrez	The command suggests that the action will happen in the future

45 The conditional (*le conditionnel*)

This tense (sometimes described as a mood) indicates what would happen if certain conditions obtained. Its forms closely resemble those of the future, with different endings (also used for the imperfect tense).

Singular subject	*donner*	Plural subject	*donner*
je	*donnerais*	*nous*	*donnerions*
tu	*donnerais*	*vous*	*donneriez*
il, elle, on	*donnerait*	*ils, elles*	*donneraient*

Irregular verbs follow the stem used for the future. Once the *je* form has been learned, all other forms follow the above pattern. Thus: *aller – j'irais, avoir – j'aurais, être – je serais, faire – je ferais*. For other irregulars, see the irregular verb table (pages 157–159).

46 Use of the conditional

Example	Explanation
Il a dit qu'il le ferait	Reported speech version of "*Je le ferai*"
Je le ferais si j'avais le temps	'I would do it, if ...' Note the use of the imperfect in the *si* clause (see §48)
Il ne le ferait pas quand même il aurait le temps	*quand même* expresses 'even if' and is followed by the conditional
Selon le journal, le Président serait aux États-Unis en ce moment	The conditional is used to indicate uncertainty or hearsay
Pourriez-vous m'aider, s'il vous plaît?	The conditional adds a nuance of politeness
Au cas où vous auriez la possibilité...	*Au cas où* expresses 'if' and is followed by the conditional
Tu devrais faire ça	The conditional of *devoir* = 'ought to'

47 The imperfect tense (*l'imparfait*)

The forms of the imperfect tense are based on the *nous* form of the present tense. The stem is derived by dropping *-ons* and adding the endings used for the conditional. The only exception is *être*.

Subject	*donner*	*finir*	*vendre*
je	*donn**ais***	*finiss**ais***	*vend**ais***
tu	*donn**ais***	*finiss**ais***	*vend**ais***
il, elle, on	*donn**ait***	*finiss**ait***	*vend**ait***
nous	*donn**ions***	*finiss**ions***	*vend**ions***
vous	*donn**iez***	*finiss**iez***	*vend**iez***
ils, elles	*donn**aient***	*finiss**aient***	*vend**aient***

Être

Subject	*être*
j'	*étais*
tu	*étais*, etc.

Those verbs which have a *-ç-* or *-ge-* in the *nous* form of the present retain it for the *je, tu, il/elle/on* and *ils/elles* forms of the imperfect, but have *-c-* and *-g-* in the *nous* and *vous* forms:

Infinitive	*je* form	*nous* and *vous* forms
commencer	*je commençais*	*nous commencions, vous commenciez*
manger	*je mangeais*	*nous mangions, vous mangiez*

48 Use of the imperfect

Example	Explanation
Grandet était petit et trapu	This describes a state in the past
Nous allions tous les jours chez elle	A repeated action. 'We used to go'
Depuis quelques années la France perdait son importance naturelle	An action which started further back in the past and was still continuing. Note this use of *depuis*
Si j'avais le temps je le ferais	When the main verb is conditional, the verb in the *si* clause is imperfect
Je venais de rentrer quand le téléphone a sonné	The imperfect of *venir de* + infinitive expresses 'had just' – 'I had just got in'

49 The past historic (*le passé simple*)

This tense is restricted to the written language and is thus to be found mainly in literature. For regular verbs its stem is formed from the infinitive, less its ending, to which endings are added.

Subject	*donner*	*finir*	*vendre*
je	*donn**ai***	*fin**is***	*vend**is***
tu	*donn**as***	*fin**is***	*vend**is***
il, elle, on	*donn**a***	*fin**it***	*vend**it***
nous	*donn**âmes***	*fin**îmes***	*vend**îmes***
vous	*donn**âtes***	*fin**îtes***	*vend**îtes***
ils, elles	*donn**èrent***	*fin**irent***	*vend**irent***

Many verbs in *-oir* (and *être*) have the following pattern:

Subject	*vouloir*
je	*voul**us***
tu	*voul**us***
il, elle, on	*voul**ut***
nous	*voul**ûmes***
vous	*voul**ûtes***
ils, elles	*voul**urent***

Verbs following this pattern include: *avoir – j'eus, devoir – je dus, être – je fus, pouvoir – je pus, savoir – je sus*. For other irregular verbs, see the irregular verb table (pages 157–159).

Verbs related to *venir* (*s'abstenir, devenir, retenir, revenir, soutenir, se souvenir, tenir*) have the following pattern:

Subject	*venir*	Subject	*venir*
je	*v**ins***	*nous*	*v**înmes***
tu	*v**ins***	*vous*	*v**întes***
il, elle, on	*v**int***	*ils, elles*	*v**inrent***

50 Use of the past historic

Example	Explanation
Alain sortit du salon	A single event at a point in time
Il attendit pendant deux semaines	A long-lasting action, but closely defined in time (for two weeks)
Soudain, il sut la vérité	Past historic of *savoir* = 'he realised'

Compound (two word) tenses (*les temps composés*)

51 The perfect tense (*le passé composé*)

This tense consists of the present tense of one of the auxiliary verbs *avoir* and *être* plus the past participle. The past participle is formed as follows: *donner – donné, finir – fini, vendre – vendu.*

Irregular verbs generally have irregular past participles. Some common examples are as follows: *avoir – eu, devoir – dû, être – été, faire – fait, mettre – mis, vouloir – voulu.* For other irregular verbs, see the irregular verb table (pages 157–159).

52 Which auxiliary verb?

The vast majority of verbs take *avoir* as their auxiliary. The exceptions are all reflexive verbs and a small group of other verbs, most of which are verbs of motion.

53 Verbs taking *avoir*

Example	Explanation
*J'**ai donné** mes clés à Philippe*	The past participle follows the auxiliary
*Je lui **ai donné** mes clés*	Any pronouns precede the auxiliary
*Anne **a fini** ce qu'elle faisait*	The past participle does not agree with the subject, Anne

54 Preceding direct objects

In compound tenses, the past participle will agree in number and gender with a preceding direct object (PDO). This often happens when the direct object is a pronoun. The agreements are the same as adjective endings (see §14).

Example	Explanation
*Tu as vu **Anne** et **Marie**?*	
*Oui, je **les** ai **vues***	In the question, the object follows the past participle. In the answer, it precedes, so there is agreement
*Vous avez donné **les documents** à Anne? Oui, je **les** lui ai donnés*	The PDO in the answer causes agreement. The indirect object does not
***Quelles excuses** a-t-il présentées?*	*Il* is the subject. *Quelles excuses* is the PDO, and so causes agreement
***Combien de lettres** a-t-il lues?*	*Combien de lettres* is the PDO, and so causes agreement

55 Verbs taking *être*

1 Reflexive verbs

Reflexive verbs follow the rule of the PDO in compound tenses. The past participle (pp) agrees with the reflexive pronoun, if it is the direct object.

Example	Explanation
*"**Je me** suis levée tôt," a dit Anne*	*Je* is feminine and so is *me*. The pp agrees with *me*.
***Anne s'est** levée à sept heures*	*Se* (*s'*) refers to Anne and is therefore feminine. The pp agrees with it
*Les garçons **se sont** levés plus tard*	Masculine plural agreement with PDO
***Anne et Philippe se sont** couchés tard*	In a mixed gender PDO, masculine takes precedence, hence *couchés*

If the reflexive verb uses an indirect object pronoun, there is no agreement on the past participle.

Example	Explanation
Anne s'est dit: "Il est sept heures."	'Anne said to herself...' The pronoun is indirect
Marie s'est cassé le bras	The direct object is *le bras*. No agreement with indirect *se* (*s'*)
Marie et Anne se sont téléphoné	In this reciprocal use, *se* is indirect since *téléphoner* uses *à*

2 Verbs of motion

The following verbs, mainly of motion, take *être* as their auxiliary. Those marked with an asterisk (*) may take *avoir* if they are followed by a direct object: *aller*, *arriver*, *descendre**, *devenir*, *entrer**, *monter**, *mourir*, *naître*, *partir*, *passer**, *rentrer**, *rester*, *retourner**, *sortir**, *tomber*, *venir*.

Unlike other verbs, these verbs agree with their subject and not with the preceding direct object.

Example	Explanation
***Anne** est allée à Paris hier*	The subject is feminine, so pp adds *-e*
***Henri et Philippe** sont arrivés*	Masculine plural, so *-s* agreement
***Anne et Philippe** sont partis*	Mixed gender, so *-s* agreement
***Pierre** est déjà revenu*	Masculine singular; no extra agreement necessary

56 Use of the perfect tense

The perfect tense is used to express the fact that an action in the past is seen as completed. It thus corresponds to two English usages, (1) I saw; and (2) I have seen.

1 *Tu as vu Philippe? – Oui je l'ai vu hier* (Yes, I saw him yesterday).

2 *Tu as vu Philippe? – Oui je l'ai vu dans le jardin* (Yes, I've seen him in the garden).

57 The pluperfect tense (*le plus-que-parfait*)

This tense corresponds to 'I had given', 'I had finished', etc., and is formed with the imperfect of the auxiliary (*avoir* or *être*) and the past participle.

donner	*finir*	*vendre*
j'avais donné *tu avais donné* *il avait donné*	*j'avais fini* *tu avais fini* *il avait fini*	*j'avais vendu* *tu avais vendu* *il avait vendu*

As in the perfect tense, reflexive verbs will agree with their PDO and other verbs which take *être* with their subjects.

58 Use of the pluperfect

Example	Explanation
*Il **avait** déjà **fini** son travail*	Action completed prior to point of narrative
***Si** nous **avions écouté** nos parents, nous ne serions pas dans cet embarras*	In the *si* clause, the pluperfect indicates a hypothesis in the past: 'If we had listened ... we wouldn't be'
*Si ces événements **ne s'étaient pas produits**, le système se serait écroulé*	In this example, the pluperfect in the *si* clause is followed by a conditional perfect in the main clause: 'the system would have collapsed'
*Il dit qu'il **avait fini***	Reported version of: *Il a dit "J'ai fini"*

Note: In a narrative written in the past historic, examples of a similar tense called the past anterior (*passé antérieur*) are found after conjunctions such as *quand*, *dès que* and *lorsque*. In this tense, the auxiliary, *avoir* or *être* is placed in the past historic: *Quand il eut fini, il sortit* – When he had finished, he went out. *Dès qu'il fut parti, des applaudissements éclatèrent* – As soon as he had left, applause broke out.

59 The future perfect (*le futur antérieur*)

This tense is conjugated with the future of the auxiliary (*avoir* or *être*), plus the past participle. It generally corresponds to the English 'will have done'.

Example	Explanation
*J'**aurai fini** cela demain. Alors, j'**irai** voir mon père*	Completion of the act takes place in the future before another begins
*Je le **ferai quand** Michèle **sera partie***	Since Michèle has not yet left, the future perfect is necessary here

60 The conditional perfect (*le conditionnel passé*)

This tense is conjugated with the conditional of the auxiliary (*avoir* or *être*), plus the past participle. It generally corresponds to the English 'would have done'.

Example	Explanation
Il a dit qu'il **aurait** *déjà* **déménagé**	Reported speech version of *"J'aurai déjà déménagé"*
*J'***aurais** *bien* **aimé** *voir cela*	'I would have liked to see that (but I didn't)'
Le Président **aurait pardonné** *à ces criminels*	Uncertainty or hearsay is expressed here (cf 'allegedly'), common in journalism
On **aurait dû** *prévenir les autorités*	The conditional perfect of *devoir* expresses 'ought to have'

61 Participles (*les participes*)

The present participle (*le participe présent*) is formed from the *nous* form of the present by replacing *-ons* with *-ant*. The exceptions are *avoir* (*ayant*), *être* (*étant*) and *savoir* (*sachant*). The uses are as follows:

Example	Explanation
Il parcourt la France, **allant** *de Lille à Marseille, de Lyon à Rennes*	Describes an ongoing activity by the subject ('going from Lille')
En suivant *cette route, vous arriverez plus tôt*	This use with *en* expresses 'by ...ing'; ('By taking this road')
En traversant *la route, il a été renversé*	This use with *en* expresses 'while ...ing' ('While crossing the road')
Il n'y a pas d'eau **courante** *ici*	Used as an adjective, the participle agrees with the noun
La situation **se dégradant**, *les troupes se sont retirées*	Here the present participle expresses cause ('As the situation was worsening')
Je l'ai vu **descendant** *la rue*	The participle replaces a relative clause (*qui descendait*)

The formation of the past participle (*le participe passé*) is outlined in §51. Its uses are as follows:

Example	Explanation
Il a/avait/aura **téléphoné** *à sa mère*	Used to form all compound tenses
Entrée **interdite**	As an adjective, it agrees with the noun in number and gender
Une fois **révélée**, *cette nouvelle choqua toute la bonne société*	In a reduced clause (*une fois qu'elle avait été révélée*) it refers to the subject of the main clause (*nouvelle*)
Les **blessés** *ont été hospitalisés*	Here it is used as noun

62 The passive voice (*la voix passive*)

The passive voice is the form of the verb which is used to show what happens or happened to the subject of the sentence, i.e. the subject undergoes the action of the verb. It may be used in any tense, but is commonly found in the perfect tense in reports of accidents and natural disasters.

Example	Explanation
Le prisonnier ***sera libéré*** *demain*	'The prisoner will be freed (by someone).' *Le prisonnier* undergoes the action
Deux jeunes filles *ont été tuées*	The past participle agrees in number and gender with the subject
Le Président ***sera accueilli*** *par* M. *le Maire*	When the agent (M. *le Maire*) is expressed, it is usually introduced by *par*

63 Avoiding the passive

The passive is less common in French than in English. Its use may be avoided in the following ways:

Example	Explanation
Cette expression ***ne s'emploie pas***	'That expression isn't used.' A reflexive verb replaces the passive
On dit que *la maison est hantée*	'It is said that'. *On* with an active verb replaces the passive
On ne me permet pas *de sortir*	Because *permettre* requires an IDO, the passive is not possible. Use *on* + active
Il lui est permis *d'y aller*	'He's allowed to go'. The *il* is impersonal (Lit. 'it is allowed to him'). *Lui* is the IDO

64 The subjunctive mood (*le subjonctif*)

There are only two tenses of this mood in current use, the present and the perfect. With the exception of the verbs *avoir* and *être*, the endings for all verbs in the present tense of the subjunctive are as follows:

Subject	Ending	Subject	Ending
je	*-e*	*nous*	*-ions*
tu	*-es*	*vous*	*-iez*
il, elle, on	*-e*	*ils, elles*	*-ent*

There are four types of verbs in the subjunctive:

1 Those formed directly from the stem of the *ils* form of the present indicative, e.g. *ils arrivent* gives *j'arrive, tu arrives*, etc. This applies to regular *-er*, *-ir* and *-re* verbs, and to many irregulars.

2 Those with an irregular *je* form, from which all other forms follow. These are:

Infinitive	Subjunctive
faire	*je fasse*
pouvoir	*je puisse*
savoir	*je sache*

3 Those irregular verbs whose *nous* and *vous* forms alone resemble those of the imperfect indicative. These include the following:

Infinitive	Subjunctive
aller	*j'aille, tu ailles, il/elle aille, nous allions, vous alliez, ils/elles aillent*
devoir	*je doive, tu doives, il/elle doive, nous devions, vous deviez, ils/elles doivent*
prendre	*je prenne, tu prennes, il/elle prenne, nous prenions, vous preniez, ils/elles prennent*

See the irregular verb table for: *boire, croire, envoyer, mourir, mouvoir, recevoir, venir, voir, vouloir.*

4 The verbs *avoir* and *être*, whose conjugation is completely irregular. (See irregular verb table, pages 157–159.)

65 The perfect tense of the subjunctive

This consists of the present subjunctive of the auxiliaries *avoir* and *être* and the past participle.

66 Use of the subjunctive

The subjunctive is a particular set of forms for the verb. Unlike the indicative, the subjunctive does not express matters of fact. A speaker using the subjunctive may be expressing an attitude to an event, a judgement on it or a wish. Where the indicative is the mood of reality, the subjunctive is the mood of the possible or the unreal. Its uses are as follows:

After a conjunction of concession	Other examples
Bien qu'*il veuille sortir, il ne peut pas* = **Although** he wants	*Quoique, encore que* = although
After a conjunction of time	
Je dois lui parler ***avant qu'****il ne parte* = **before** he leaves	*après que* (spoken French) = after; *jusqu'à ce que* = until
After a conjunction of purpose	
Je lui ai donné de l'argent ***pour qu'****il puisse s'acheter à manger* = **so that**	*afin que* = in order that; *de façon que, de manière que* = in such a way that
After a conjunction of condition	
Pourvu qu'*il soit là, tout ira bien* = **provided that** he's there	*à condition que* = on condition that; *à moins que* (+ *ne*) = unless; *supposé que* = supposing that
When *que* begins the sentence	
Qu'*il ait fait cela n'a aucune importance* = **That** he did that	*Que* may also mean 'whether': *Qu'elle le fasse ou non, cela m'est égal*
After negative expressions	
Pierre est parti ***sans que*** *je le sache* = Pierre left **without** my knowing it	*non que* = not that; *ce n'est pas que* = it's not (the case) that

After expressions indicating fear	
Elle refusait de sortir ***de peur qu'****on ne l'attaque* = **for fear that** (note *ne*)	*de crainte que* = for fear that; *avoir peur/crainte que* (+ *ne*) = to fear that
After expressions of possibility	
Il est possible que *vous puissiez le faire* = **It's possible that** you'll be able to do it	*il se peut que* = it may be that; *il est impossible que, il n'est pas possible que* = it's not possible that; *il arrive que* = it happens that
After expressions of necessity	
Il faut que *tu sois là* = **It's necessary that** you should be there	*il est nécessaire/essentiel/primordial que* = it's necessary that
After impersonal constructions	
Il est important que *Jeanne vienne* = **It's important that** Jeanne should come	*il vaut mieux que* = it's better that; *il est temps que* = it's time that
After verbs of wanting and wishing	
Je veux qu'il *fasse cela maintenant* = **I want him to** do it now	*aimer que, aimer mieux/préférer que, désirer que, souhaiter que, vouloir que*
After expressions of emotion	
Je suis étonnée que *mon mari ait fait ça* = **I'm surprised that** my husband did that	*regretter que* = to regret that; *être surpris que* = to be surprised that; *être content que* = to be pleased that; *avoir honte que* = to be ashamed that
After expressions of uncertainty	
Pensez-vous qu'*il vienne?* = **Do you think that** he'll come? ***Je doute qu'****il vienne* = **I doubt that** he'll come ***Il semble qu'****elle soit malade* = **It seems that** she's ill	*je ne pense pas que/je ne crois pas que* = I don't think that; *nier que* = to deny that *il n'est pas certain que* = it's not certain that N.B. *Il me semble qu'elle est malade* (indicative)
After verbs of allowing, asking, forbidding, preventing	
Papa a défendu que *les enfants sortent* = **Papa has forbidden** the children to go out; ***Le gouvernement a ordonné que*** *les émeutes soient réprimées* = **The government has ordered** the riots to be be put down	*demander que* = to ask that; *empêcher que* = to prevent (from); *exiger que* = to demand that *interdire que* = to forbid; *insister pour que* = to insist; *permettre que* = to allow
In a relative clause after a negative	
Je n'ai ***rien*** *vu* ***qui puisse*** *t'intéresser* = I **didn't** see **anything which would** interest you	The subjunctive also follows a superlative and *premier, dernier, seul, unique* in a relative clause: *Le meilleur/premier livre que j'aie lu*

To express a desired quality	
Je cherche ***quelqu'un qui connaisse*** *les rues de Paris* = I'm looking for **someone who knows** the streets of Paris	*Y a-t-il un restaurant* ***où on puisse*** *manger?* = Is there a restaurant where we **could** eat?
In clauses expressing purpose	
Il faudra faire *un effort pour que nos plans* ***réussissent*** = We'll have to make an effort in order for our plans to succeed	*afin que* = in order that; *viser que* = to aim that; *faire en sorte que* = to do in such a way that
With *si* + adjective: 'however'	
Si agressif *qu'il* ***paraisse****, il est vraiment timide* = **However aggressive** he **appears**, he's actually very shy	*pour* + adjective = 'however'; *quelque* + adjective = 'however'
With *quoi que*: 'whatever'	
Quoi que *vous* ***fassiez****, il ne changera pas d'avis* = **Whatever you do**, he won't change his mind	Similarly, *où que* = 'wherever': *Où que vous alliez, souvenez-vous de moi*

67 The infinitive (*l'infinitif*)

The infinitive is the basic form of the verb, its 'name', and the part which means 'to do something'. It does not have a subject or change its endings.

68 Use of the infinitive

Example	Explanation
Lire *devient de plus en plus difficile pour la génération actuelle* *Que* ***faire****?* *J'ai* ***fait venir*** *le médecin*	'**Reading** is becoming …' The infinitive is used, not the present participle in examples of this type 'What are we/you **to do**?' 'I called the doctor', i.e. got the doctor to come. *Faire* gives a causative sense to the infinitive

69 Government of the infinitive

- ***J'aime regarder** les films en vidéo, mais **je préfère aller** au cinéma.*
  Some verbs are followed directly by an infinitive. These include: *aimer – adorer – aller – désirer – devoir – espérer – faire – falloir – laisser – oser – pouvoir – préférer – savoir – vouloir.*
- *J'ai achevé **de faire** mon travail, et j'ai réussi **à trouver** la bonne solution.* Some verbs require *de* before an infinitive, others require *à*. These include:

de + infinitive	à + infinitive
achever de – to finish *s'arrêter de* – to stop *avoir peur de* – to be afraid *décider de* – to decide *finir de* – to finish *oublier de* – to forget *refuser de* – to refuse *regretter de* – to regret	*apprendre à* – to learn *s'attendre à* – to expect *chercher à* – to try *s'habituer à* – to get used to *hésiter à* – to hesitate *parvenir à* – to succeed *réussir à* – to succeed *tenir à* – to insist on

- *On a **accusé** le clochard **d'avoir commis** le vol.* The tramp was accused of committing (i.e. having committed) the theft.
  Some verbs take a direct object followed by *de* + infinitive. These include: *accuser quelqu'un de – empêcher quelqu'un de – excuser quelqu'un de – persuader quelqu'un de – remercier quelqu'un de.*
- *J'ai demandé **à** mon père **de** me **reconduire** à la gare.* Some verbs take an indirect object (with *à*) and *de* before the infinitive. These include: *conseiller à quelqu'un de – demander à qqn de – dire à qqn de – permettre à qqn de – promettre à qqn de – proposer à qqn de.*

Adverbs (*les adverbes*)

70 Adverbs of manner (*les adverbes de manière*)

These are usually formed by adding *-ment* to the feminine of their corresponding adjective. The exception is adjectives ending in a vowel, e.g. *vrai* gives *vraiment*. Usually, *-ment* corresponds to *-ly* in English.

Masculine adjective	Feminine adjective	Adverb
rapide – rapid	*rapide*	*rapidement*
discret – discreet	*discrète*	*discrètement*
heureux – happy, fortunate	*heureuse*	*heureusement*
cruel – cruel	*cruelle*	*cruellement*
actif – active	*active*	*activement*

Some adverbs require *-é* before *-ment*:

Adjective	Adverb
aveugle – blind	*aveuglément* N.B. *l'aveuglement* = blindness
énorme – enormous	*énormément*

Similarly: *obscurément, profondément, précisément.*

Adjectives ending in *-ant* and *-ent* change to *-amment* and *-emment*: (exceptions: *lent – lentement; présent – présentément; véhément – véhémentement*).

Adjective	Adverb
brillant – brilliant	*brillamment*
évident – evident, obvious	*évidemment*

Some adverbs require a circumflex accent:

Adjective	Adverb
assidu – assiduous	*assidûment*
dû – due	*dûment*
gai – bright, cheerful	*gaîment*

Note these important exceptions to the general rules:

Adjective	Adverb
bref – brief	*brièvement*
gentil – kind	*gentiment*
bon – good	*bien* – well
meilleur – better	*mieux* – better
mauvais – bad	*mal* – badly
moindre – smaller	*moins* – less
pire – worse	*pis* – worse

Some adverbial expressions use adjectives:

Expression	Meaning	Expression	Meaning
crier haut	to shout loudly	*voir clair*	to see clearly
parler bas	to talk softly	*faire exprès*	to do on purpose
sentir bon	to smell nice	*coûter cher*	to cost dear
deviner juste	to guess right	*refuser net*	to refuse outright

71 Adverbs of manner and degree (*les adverbes de manière et d'intensité*)

ainsi – so	*de même* – likewise	*pourquoi?* – why?
assez – quite, fairly	*ensemble* – together	*que ne...?* – why...not?
aussi – as, and so	*environ* – about	*si* – so
beaucoup – much	*fort* – very	*surtout* – especially
bien – very	*même* – even	*tellement* – so
combien? – how much?	*plus* – more	*un peu* – a little
comme – how	*moins* – less	*tout* – quite
comment? – how?	*peu à peu* – gradually	*très* – very
d'ailleurs – besides	*plutôt* – rather	

72 Adverbs and adverb phrases of place (*les adverbes de lieu*)

ailleurs – elsewhere	*là-dessous* – underneath	*ici* – here
au-delà – beyond	*dessus* – above	*là* – there
autre part – elsewhere	*là-dessus* – above	*là-bas* – over there
çà et là – here and there	*devant* – in front	*loin* – far
dedans – inside	*en arrière* – backwards	*nulle part* – nowhere
là-dedans – inside	*en avant* – forwards	*où* – where
dehors – outside	*en bas* – below, downstairs	*partout* – everywhere
derrière – behind	*en dehors* – outside	*quelque part* – somewhere
dessous – underneath	*en haut* – above, upstairs	*y* – there

1 Note the spelling of *çà et là* – the accents distinguish this from *ça* ('that') and *la* ('the').
2 *Dessus* means 'over it', 'on it'. *Par-dessus* conveys motion – *il a sauté par-dessus le mur.*

73 Adverbs of quantity (*les adverbes de quantité*)

The following are used alone to modify verbs, or with *de(s)* to qualify nouns:

assez – enough	*davantage* – more	*tant* – so much
autant – as many, as much	*encore* – some more	*tout* – quite, completely
beaucoup – much, many	*moins* – less	*trop* – too much/many
bien (+ *des*) much, many	*peu* – little	*un peu* – a few, a little
combien – how much, how many	*plus* – more	

1 *assez* can modify adjectives or adverbs – *des maisons assez bien bâties* = fairly well-built houses
2 When used with a noun, *bien* is followed by *des* – *Bien des gens pensent…*
N.B. *Beaucoup de gens pensent…*
3 *tout* means 'quite' or 'completely'. It is invariable, except before a feminine adjective beginning with a consonant or *h* aspirate, when it becomes *toute*: *La France toute seule…*

74 Adverbs and adverb phrases of time (*les adverbes de temps*)

à présent – now	*demain* – tomorrow	*lors* – at that time
à temps – in time	*de temps en temps* – from time to time	*maintenant* – now
alors – then, at that time	*depuis* – since, for	*naguère* – recently
après – after	*dernièrement* – lately	*parfois* – sometimes
après-demain – the day after tomorrow	*désormais* – henceforth	*puis* – then, next
aujourd'hui – now	*dorénavant* – henceforth	*quand* – when
auparavant – previously	*encore* – still, yet	*quelquefois* – sometimes
aussitôt – immediately	*enfin* – at last	*sitôt* – immediately
autrefois – formerly	*en retard* – late	*soudain* – suddenly
avant-hier – the day before yesterday	*hier* – yesterday	*souvent* – often
avec le temps – in course of time	*jadis* – formerly, in olden times	*sur-le-champ* – immediately
bientôt – soon	*jamais* – ever	*tantôt … tantôt* – sometimes … sometimes
cependant – meanwhile	*jusqu'ici/alors* – until now/then	*tard* – late
d'abord – at first	*le lendemain* – the following day	*tôt* – early, soon
de bonne heure – early	*longtemps* – (for) a long time	*tout de suite* – immediately
		toujours – always, still
		la veille – the day before

75 Adverbs of doubt (*les adverbes de doute*)

The main adverbs expressing doubt are: *apparemment* – apparently, *peut-être* – perhaps, *probablement* – probably, *sans doute* (which does express doubt) – no doubt and *vraisemblablement* – probably.

76 Adverbs of affirmation (*les adverbes d'affirmation*)

Adverbs of affirmation include: *assurément* – certainly, *aussi* – also, *certainement* – certainly, *exactement* – precisely, *absolument* – absolutely/certainly, *bien* – definitely, *certes* – of course, *oui* – yes, *précisément* – precisely, *si* – yes, *soit* – so be it, *volontiers* – willingly.

Adverb	Example	Comment
bien	*Il a bien fait ça*	'He definitely did it'
oui	*Veux-tu faire ça? – Oui*	Confirms a positive question
si	*Tu ne peux pas faire ça! – Si*	Contradicts a negative
soit	*Vous voulez faire cela? Soit*	'Do you want to do that? So be it then.' The final *-t* of *soit* is pronounced

77 Negation

Negation is carried out by both adjectives and adverbs. Negatives are usually associated with *ne*. Some can stand alone: *Qu'est-ce que tu as vu? – Rien*; *Qui est venu? – Personne*; *Tu as visité l'Allemagne? – Non, jamais.*

Negative	Sense	In simple tenses	In compound tenses
ne … pas	not	*Je* ***ne*** *comprends* ***pas***	*Je* ***n'****ai* ***pas*** *compris*
ne … point	not at all	*Il* ***ne*** *veut* ***point*** *partir*	*Il* ***n'****a* ***point*** *voulu partir*
ne … plus	no more, no longer, not again	*Je* ***ne*** *le vois* ***plus***	*Je* ***n'****y suis* ***plus*** *jamais retourné*
ne … plus aucun(e)	no longer any … at all	*On* ***n'****a* ***plus aucune*** *sensation*	*Il* ***n'****a* ***plus*** *ressenti* ***aucune*** *peur*
ne … jamais	never	*Je* ***ne*** *sors* ***jamais*** *le soir*	*Je* ***ne*** *suis* ***jamais*** *allé à l'étranger*
ne … rien	nothing	*Tu* ***ne*** *manges* ***rien****?*	*Je* ***n'****ai* ***rien*** *mangé hier*
ne … jamais rien	never … anything	*On* ***ne*** *ressent* ***jamais rien*** *de pareil*	*Je* ***n'****ai* ***jamais rien*** *ressenti de pareil*
ne … guère	hardly	*Elle* ***ne*** *parle* ***guère*** *à sa mère*	*Il* ***n'****avait* ***guère*** *parlé à sa mère*
ne … nullement	not at all	*Il* ***ne*** *voulait* ***nullement*** *se marier*	*Il* ***n'****a* ***nullement*** *voulu s'engager de cette façon*
ne … aucun(e)	no … at all	*On* ***n'****a* ***aucune*** *notion du temps*	*Je* ***n'****ai eu* ***aucune*** *notion du temps*
ne … personne	nobody, no one	*Je* ***ne*** *vois* ***personne***	*Je* ***n'****ai vu* ***personne***
ne … que	only	*Il* ***n'****achète* ***que*** *des cigarettes*	*Il* ***n'****a acheté* ***que*** *des cigarettes*
ne … ni …	nor	*On* ***ne*** *ressent rien de comparable* ***ni*** *de rapprochant*	*Je* ***n'****ai rien fait de si effrayant* ***ni*** *de si stimulant*
ne … ni … ni …	neither … nor	*On* ***ne*** *ressent* ***ni*** *peur* ***ni*** *plaisir*	*Je* ***n'****ai vu* ***ni*** *Corinne* ***ni*** *Pierre*
aucun(e) … ne … (*aucun* as subject)	no, not a single	***Aucun*** *homme* ***ne*** *contemple cela*	***Aucune*** *femme* ***n'****a fait ce saut*

Negative	Sense	In simple tenses	In compound tenses
ne … nulle part	nowhere, not anywhere	*Je **ne** le vois **nulle part***	*Je **ne** l'ai vu **nulle part***

If more than one negative is required the order is: *ne – plus – jamais – rien/personne – que – aucun – nulle part*
Example: *On ne trouvera plus jamais rien de ce genre-là.*

78 Position of adverbs

Adverbs are usually placed close to the verbs that they modify and the following general rules apply:

Example	Comment
*J'aime **beaucoup** cette pièce*	Placed after a verb in a simple tense
*J'ai **beaucoup** aimé ce film*	Between auxiliary and past participle in compound tense
*Il a agi **imprudemment***	Polysyllabic adverb usually placed after past participle
*Je l'ai vu **aujourd'hui***	*aujourd'hui* never placed between auxiliary and past participle. Also: *ailleurs, autrefois, demain, hier, ici, là, partout, tard* and *tôt*
*Il ne faut pas **trop** dire*	Adverbs of quantity and negation + *bien, mal, mieux, pis*, placed between verb and infinitive
***Peut-être** étaient-ils déjà partis*	Initial *peut-être* causes inversion. Similarly *à peine*
***Peut-être qu'**ils étaient déjà partis*	*Peut-être que* retains normal order

Conjunctions and prepositions (*les conjonctions et les prépositions*)

79 Conjunctions (*les conjonctions*)

Conjunctions are invariable words or phrases which link two sections of a sentence, paragraph or text together. They may be co-ordinating or subordinating. Co-ordination is often found in descriptions, subordination in more logically ordered texts.

80 Co-ordinating conjunctions (*les conjonctions de coordination*)

These serve to link words, phrases, clauses or sentences, and fall into the following categories. Each section linked has equal status in the sentence.

Type	Conjunctions	Examples
Linking	*et, mais, ou, ni, puis, ensuite, comme, ainsi que, alors, bien plus, aussi bien que*	*Il a fait son discours, **puis** il est parti; Il leur a parlé, **mais** sans les convaincre*
Cause	*car, en effet, effectivement*	*On est parti sans la voir, **car** elle était absente*
Consequence	*donc, aussi, ainsi, par conséquent*	*On n'avait plus confiance en elle, **donc** elle a démissionné*
Transition	*or, donc*	*Le cambrioleur rentra; **or**, la police l'attendait*
Opposition, restriction	*mais, cependant, toutefois, pourtant, néanmoins, par contre, d'ailleurs, au moins*	*Le gouvernement peut présenter ses excuses, **mais** cette crise était inévitable*
Alternatives	*ou, soit … soit …, ou bien*	*Il y deux possibilités – **soit** on reste, **soit** on part*
Explanation	*à savoir, c'est-à-dire*	*La politique, **c'est-à-dire**, le pouvoir*

81 Subordinating conjunctions (*les conjonctions de subordination*)

These serve to link a subordinate clause to the clause on which it depends. They can therefore only link clause to clause. A subordinate clause cannot stand alone. Conjunctions marked with an asterisk (*) demand a verb in the subjunctive.

Type	Conjunctions	Examples
Cause	*comme, parce que, vu que, puisque, c'est que*	*Elle est sortie* **parce qu'***elle avait besoin d'air*
Purpose	*afin que*, pour que*, de façon/manière que*, de sorte que**	*J'économise* **pour que** *nous* **ayons** *de l'argent*
Consequence	*que, de sorte que, de façon/manière que, si bien que, tellement … que*	*On a tout dépensé,* **de sorte qu'***on est fauché*
Concession, opposition	*bien que*, quoique*, tandis que, alors que*	**Bien qu'***il* **soit** *malade, il insiste pour sortir*
Condition, supposition	*si, au cas où, pourvu que*, à condition que*, à moins que* (+ ne)*	**Pourvu qu'***il y* **ait** *suffisament de place, tout le monde viendra*
Time	*quand, lorsque, avant que*, après que, pendant que, depuis que, aussitôt que, jusqu'à ce que**	*Nous partirons* **quand** *il arrivera; s'il arrive* **avant que** *nous* **soyons** *prêts, offrez-lui à boire*
Comparison	*comme, de même que, ainsi que, plus que, moins que, comme si*	*Alain,* **de même que** *Jacqueline, est plus grand* **que** *son frère*

82 Prepositions (*les prépositions*)

Prepositions are invariable words whose function is to indicate position, or to link expressions together within a sentence. Some examples with some of their functions are listed below.

à	*Il vit à Paris* *Il est prêt à partir* *commencer à, se mettre à* *à huit heures du matin* *s'éclairer à l'électricité* *réussir à, chercher à*	position readiness beginning time instrumentality between verb and infinitive
avec	*Il y est allé avec sa soeur* *Il a été tué avec un couteau*	'with', 'in the company of' instrumentality
chez	*chez moi* *chez les Français* = among the French	place figurative usage
dans	*dans le jardin* *dans une heure* = in an hour's time	position time
de	*les amis de mon frère* *l'histoire de France* *Il est revenu de France* *envahi de productions étrangères* *de temps en temps, de nos jours* *décider de, essayer de*	possession association 'from' instrumentality, agency = by time between verb and infinitive

en	*en France; en Normandie; en ville* *en 1997; en deux heures* = within two hours *en voiture, en bateau* *un bonnet en laine* *en sortant* = by/while going out	position time means of transport material used with present participle
jusqu'à	*jusqu'à deux heures* = until two o'clock *jusqu'à Paris* = as far as Paris *Ils ont tué jusqu'aux infirmières*	time place 'even'
par	*par les rues, par terre, par ici* *par un beau jour* = on a fine day *Il a été tué par sa femme* *par le train, par avion*	position time agency in passive construction means of transport
pour	*C'est pour vous* *Il l'a fait pour se faire remarquer* *Nous y allons pour deux semaines* *pour de bon*	'for' purpose (*pour* + infinitive) time (future) figurative usage
sous	*sous la table* *sous quelque forme que se présente cette menace*	position figurative usage
sur	*sur la terre* *une émission sur la politique* *trois sur quatre* = three out of four	position figurative usage fractions

Word order

83 Statements

In a statement, the basic word order is subject–verb–object:

La France (subject) *a regagné* (verb) *son importance naturelle* (object).

If there is an indirect object, it will usually follow the direct object:

La France a octroyé l'indépendance (DO) *à ses anciennes colonies* (IDO).

If the DO is longer than the IDO, their order is reversed:

La France a octroyé à ses anciennes colonies (IDO) *l'indépendance qu'elles exigeaient depuis longtemps* (DO).

This helps to keep the general principle of saving longer, more important elements until last in the sentence.

Adverbs and adverbial phrases are usually kept close to their verb, but may be placed at the beginning of the sentence for effect. This is particularly true of time phrases.
Example: *Au bout de deux heures il se leva et sortit.*

84 Questions

In Yes/No questions, there are three possibilities for word order:
1 Retain the order of the statement – *Elle est sortie?*
2 Add *Est-ce que* – *Est-ce qu'elle est sortie?*
3 Invert subject and verb – *Est-elle sortie?*
(If the subject is a noun, then the appropriate subject must be added: *Marie est-elle sortie?*)

In questions whose answer requires information, there are three possibilities:
1 Retain the order of the statement and add a question word – *Elle est sortie quand?*
2 Add a question word and *est-ce que* – *Quand est-ce qu'elle est sortie?*
3 Add a question word and invert subject and verb – *Quand est-elle sortie?*
(If the subject is a noun, then the appropriate subject pronoun must be added: *Quand Marie est-elle sortie?*)

For both styles of question, Type 1 is commonest in spoken French, Type 3 in written.

Irregular verbs (*les verbes irréguliers*)

In the following table of irregular verbs, note these conventions: • The *tu* form of the verb is either the same as the *je* form, or may be deduced from regular principles (e.g. *je cueille*, therefore *tu cueilles*). • Unless otherwise stated, the *vous* and *ils* forms follow on logically from the *nous* form in the present indicative. For changes in the subjunctive, see §64, note 3.

Infinitive	Present	Perfect	Past Historic	Future/Conditional	Subjunctive	Similar verbs
acquérir (to acquire)	j'acquiers, il acquiert, nous acquérons, ils acquièrent	j'ai acquis	j'acquis	j'acquerrai/-ais	j'acquière, nous acquérions	conquérir, s'enquérir, requérir
aller (to go)	je vais, tu vas, il va, nous allons, vous allez, ils vont	je suis allé(e)	j'allai	j'irai/-ais	j'aille, nous allions	
avoir (to have)	j'ai, tu as, il a, nous avons, vous avez, ils ont	j'ai eu	j'eus	j'aurai/-ais	j'aie, tu aies, il ait, nous ayons, vous ayez, ils aient	
s'asseoir (to sit down)	je m'assieds, il s'assied, nous nous asseyons	je me suis assis(e)	je m'assis	je m'assiérai/-ais	je m'asseye	
battre (to beat)	je bats, il bat, nous battons	j'ai battu	je battis	je battrai/-ais	je batte	abattre, combattre, débattre
boire (to drink)	je bois, il boit, nous buvons, ils boivent	j'ai bu	je bus	je boirai/-ais	je boive, nous buvions	
conduire (to drive)	je conduis, il conduit, nous conduisons	j'ai conduit	je conduisis	je conduirai/-ais	je conduise	construire, déduire, détruire, instruire
connaître (to know)	je connais, il connaît, nous connaissons	j'ai connu	je connus	je connaîtrai/-ais	je connaisse	reconnaître
courir (to run)	je cours, il court, nous courons	j'ai couru	je courus	je courrai/-ais	je coure	
craindre (to fear)	je crains, il craint, nous craignons	j'ai craint	je craignis	je craindrai/-ais	je craigne	
croire (to believe)	je crois, il croit, nous croyons, ils croient	j'ai cru	je crus	je croirai/-ais	je croie, nous croyions	
croître (to grow)	je croîs, il croît, nous croissons	j'ai crû	je crûs	je croîtrai/-ais	je croisse	(s') accroître
cueillir (to pick)	je cueille	j'ai cueilli	je cueillis	je cueillerai/-ais	je cueille	accueillir, recueillir
devoir (to have to)	je dois, il doit, nous devons, ils doivent	j'ai dû	je dus	je devrai/-ais	je doive, nous devions	

Infinitive	Present	Perfect	Past Historic	Future/Conditional	Subjunctive	Similar verbs
dire (to say, to tell)	je dis, il dit, nous disons, vous dites, ils disent	j'ai dit	je dis	je dirai/-ais	je dise	interdire
écrire (to write)	j'écris, il écrit, nous écrivons	j'ai écrit	j'écrivis	j'écrirai/-ais	j'écrive	décrire, inscrire
envoyer (to send)	j'envoie, nous envoyons, ils envoient	j'ai envoyé	j'envoyai	j'enverrai/-ais	j'envoie, nous envoyions	renvoyer
être (to be)	je suis, tu es, il est, nous sommes, vous êtes, ils sont	j'ai été	je fus	je serai/-ais	je sois, tu sois, il soit, nous soyons, vous soyez, ils soient	
faire (to make)	je fais, tu fais, il fait, nous faisons, vous faites, ils font	j'ai fait	je fis	je ferai/-ais	je fasse	
falloir (to be necessary)	il faut	il a fallu	il fallut	il faudra/-ait	il faille	
fuir (to flee)	je fuis, nous fuyons, ils fuient	j'ai fui	je fuis	je fuirai/-ais	je fuie	s'enfuir
lire (to read)	je lis, il lit, nous lisons	j'ai lu	je lus	je lirai/-ais	je lise	
mettre (to put)	je mets, il met, nous mettons	j'ai mis	je mis	je mettrai	je mette	admettre, permettre, promettre. soumettre
mourir (to die)	je meurs, il meurt, nous mourons, ils meurent	je suis mort(e)	je mourus	je mourrai/-ais	je meure, nous mourions	
mouvoir (to move)	je meus, il meut, nous mouvons, ils meuvent	j'ai mû	je mus	je mouvrai/-ais	je meuve, nous mouvions	émouvoir (pp ému) promouvoir (pp promu)
naître (to be born)	je nais, il naît, nous naissons	je suis né(e)	je naquis	je naîtrai/-ais	je naisse	renaître
plaire (to please)	je plais, il plaît, nous plaisons	j'ai plu	je plus	je plairai/-ais	je plaise	déplaire
pleuvoir (to rain)	il pleut	il a plu	il plut	il pleuvra/-ait	il pleuve	
pouvoir (to be able)	je peux, il peut, nous pouvons, ils peuvent	j'ai pu	je pus	je pourrai/-ais	je puisse	
prendre (to take)	je prends, il prend, nous prenons, vous prenez, ils prennent	j'ai pris	je pris	je prendrai/-ais	je prenne, nous prenions	apprendre, comprendre. surprendre

Infinitive	Present	Perfect	Past Historic	Future/Conditional	Subjunctive	Similar verbs
recevoir (to receive)	je reçois, il reçoit, nous recevons, ils reçoivent	j'ai reçu	je reçus	je recevrai/-ais	je reçoive, nous recevions	(s') apercevoir, concevoir, décevoir, percevoir
résoudre (to resolve)	je résous, il résout, nous résolvons	j'ai résolu	je résolus	je résoudrai/-ais	je résolve	absoudre (pp absous) dissoudre (pp dissous)
rire (to laugh)	je ris, il rit, nous rions	j'ai ri	je ris	je rirai/-ais	je rie	sourire
rompre (to break)	je romps, il rompt, nous rompons	j'ai rompu	je rompis	je romprai/ais	je rompe	corrompre interrompre
savoir (to know)	je sais, il sait, nous savons	j'ai su	je sus	je saurai/-ais	je sache	
suffire (to suffice, to be enough)	je suffis, il suffit, nous suffisons	j'ai suffi	je suffis	je suffirai/-ais	je suffise	
suivre (to follow)	je suis, tu suis, il suit, nous suivons	j'ai suivi	je suivis	je suivrai/-ais	je suive	poursuivre
se taire (to say nothing)	je me tais, il se tait, nous nous taisons	je me suis tu(e)	je me tus	je me tairai/-ais	je me taise	
tenir (to hold)	je tiens, il tient, nous tenons, ils tiennent	j'ai tenu	je tins	je tiendrai	je tienne	(s')abstenir, contenir, maintenir, retenir, soutenir
vaincre (to defeat)	je vaincs, tu vaincs, il vainc, nous vainquons	j'ai vaincu	je vainquis	je vaincrai	je vainque	convaincre
valoir (to be worth)	il vaut, ils valent	il a valu	il valut	il vaudra/-ait	il vaille	prévaloir, revaloir
venir (to come)	je viens, il vient, nous venons, ils viennnent	je suis venu (e)	je vins	je viendrai/-ais	je vienne, nous venions	advenir, devenir, revenir, (se) souvenir
vivre (to live)	je vis, il vit, nous vivons	j'ai vécu	je vécus	je vivrai	je vive	revivre, survivre
voir (to see)	je vois, nous voyons, ils voient	j'ai vu	je vis	je verrai	je voie, nous voyions	entrevoir, pourvoir (fut. pourvoirai, past hist. pourvus) prévoir (fut. prévoirai), revoir
vouloir (to want)	je veux, il veut, nous voulons, ils veulent	j'ai voulu	je voulus	je voudrai/-ais	je veuille, nous voulions